华南理工大学中央高校学术文库项目
南方科技大学社会科学高等研究院丛书

本书获得：珠港澳大湾区文化遗产与地域认同科研平台和实践基地专项资助、中央支持地方高校发展基金（20351701）、华南理工大学中央高校学术文库项目“粤语讲古艺人口述史调查研究”（x2xcC2180270）资助

十位粤语讲古艺人的口述历史

储冬爱　陈周起　编著

广州新华出版发行集团
广州出版社

图书在版编目（CIP）数据

十位粤语讲古艺人的口述历史 / 储冬爱，陈周起著. —广州：广州出版社，2023.1

ISBN 978-7-5462-3222-5

Ⅰ. ①十… Ⅱ. ①储… ②陈… Ⅲ. ①说唱—戏剧家—生平事迹—广东—现代 Ⅳ. ①K825.78

中国版本图书馆CIP数据核字（2022）第026405号

书　　名　十位粤语讲古艺人的口述历史
Shi Wei Yueyu Jianggu Yiren De Koushu Lishi
出版发行　广州出版社
（地址：广州市天河区天润路87号9楼、10楼　邮政编码：510635
网址：www.gzcbs.com.cn）
责任编辑　区力文　王莉莎
责任校对　窦兵兵
版式设计　友间文化
印刷单位　广州市快美印务有限公司
（地址：广州市白云区广从五路410号 邮政编码：510545）
规　　格　787 毫米×1092 毫米　1/16
印　　张　14
字　　数　175 千
版　　次　2023年1月第1版
印　　次　2023年1月第1次
书　　号　ISBN 978-7-5462-3222-5
定　　价　45.00元

古典的草根

——大俗大雅『讲古佬』

储冬爱

我和粤语讲古的交集始于10多年前，经朋友引荐，得以邀请粤语讲古人颜志图来大学城为华南理工大学学生表演讲古。据说，当晚观众不多，但去的人都很给力，叫好不断。说来惭愧，虽然我负责的《粤语讲古艺人口述历史研究》项目获得学校立项和南方科技大学社会科学高等研究院的出版资助，带着一帮学生、“长枪短炮”，穿街过巷，搞得像“G4出动”[①]，但我本人对粤语讲古完全是叶公好龙，说白了，我热衷的可能只是“项目”，未必是讲古。我虽然下载了讲古音频、视频，却从未去听过一场现场讲古，并一直自我辩解是因为有“方言的隔阂”。

2019年1月18日，我终于见到了传说中的“最后一个讲古佬”——颜志图，这次采访颠覆了我对粤语讲古和老广州人的刻板印象。

颜志图先生（颜老）是土生土长的广州人，在老城区牛头巷长大。其父亲毕业于岭南大学，1949年以前曾任小学校长。受家庭和社会环境熏陶，颜先生自小喜欢逛戏院，玩杂耍，舞文弄墨，后与讲古结

① “G4”为广州本地一个新闻记者团队。

缘，以之为业，终其一生。“少年古王”——“广州第一位上电视讲古的人”——“广州最后的讲古佬”，是媒体对他的人生的勾勒。电台、电视、报纸上不时能撞见他的声、影，他分别主讲和参与的两档电视节目《羊城度度有段古》和《寻根问底》曾连续几年创收视新高。这样一位知名的艺人和省级非遗传承人，生活之窘迫着实在我意料之外。一家人蜗居于20平方米带阁楼的促狭空间，女儿上大学的学费依靠助学贷款和勤工俭学。但是，凡有演出邀请和学徒登门，他来者不拒，从来不问报酬，无偿提供资料和练功服倒是常有的事。多年前，在牛头巷逼仄的客厅里，常常挤满热衷讲古并“蹭吃蹭喝”的在校大学生。

当天坐在颜老身边，仿佛置身神奇的磁场，片刻不能分神，遑论抽身。他追忆往事，犹如即兴表演，铿锵有致，干净利落，70多岁的老人讲话没有一处重复，没有一个闲词——“这个”“然后”“那么”之类的口头语。原来，听古是必须身临其境的，我为自己10多年前的缺席懊悔不已，认识先生太晚。

听说我是叶春生（叶师）的弟子，颜老绘声绘色讲述了2003年的一件往事。是年非典肆虐，叶师邀请他去中山大学给学生讲非典新古，他绞尽脑汁，几易讲稿，最终得叶师认同，但不知何故，等了大半年，始终未接到表演通知。未料，年底北京方面寻找非典故事，老先生手头正好有现成作品，寄去北京后斩获大奖。

采访结束后，颜老以习武人的礼仪，多次向我作揖致谢。颜老、叶师都名动羊城，我在师门不过是绿叶一片，受此大礼，倍感惶恐，不得不折服于老先生的浩然之气。

虽然我做田野调查已不下15年，但采访讲古艺人竟有一种全新的体验，说考验也丝毫不为过。讲古人表达欲望强烈，也长于表达，一旦开头，很难切断，在控制现场、抓住听众方面他们绝对都是一流的高手。例如颜老，擅长讲羊城掌故，用词典雅，非常注重故事的完整性，铺垫、比喻、排比，有起有落，每一个问题没有等到尾声他人休想插嘴。比如对讲古的解释：“讲故事，广州人俗称讲古，也是说书的一种。说书是讲故事，但讲故事不一定是说书。”“什么是故事呢？有人说故事是过去的事，但过去的事都是故事吗？必须是讲人的故事，有情节。所以，讲古是用方言将传说、历史、小说、掌故等再创作的一种艺术形式。”“讲古不仅仅是一种语言艺术，有时也要在写上下功夫”，什么是功夫呢？他的师傅侯佩玉总结了讲古“十忌十要”，比如“五忌做书奴”，“十要运用偷天换日手”，既要好好读书，也要善于甄别良莠，更懂移花接木，总之，“功夫在书外”。你看，他的作答不仅环环相扣，还将每一个问题拆解成一篇丰满的小文章。

说颜志图是“广州最后一个讲古佬”可能并不完全准确，同样师从侯佩玉的姚焕然，至今也依然坚持在书场讲古，采访中古诗文、粤语俗语信手拈来，说孔明“六出祁山无寸草，九伐中原枉用功”，“一心只为酬三顾，两朝开济老臣心”；说刘备“无由抚慰忠臣意，且把亲儿掷马前”；说工作、讲古都要身体好，“未谋进取，先想退路”，因为“抵得”“力贱得人敬”；为什么讲古？“个天要我讲古”，“天生一个讲古人”。对讲古的认知也是字字珠玑，“讲古首先要有专业性”，“业余，有业才有余”。“兴趣也重要”，“从要我读书到我要读书”。“在现场的说书人要讲求声线，咬字咬音，单单依靠喉咙，不出三五七日就要收档了，因为‘唔耐讲’。”别人讲古，他“解古”，“我要做三国里面的司马德操。既不做名留千古，亦不做遗臭万年。”

另一位同样在广州长大的霍沛流，是体制内的医生，除了在电台兼职讲古之外，不时在白云山等户外书坛讲古授徒，对“市井味”情有独钟，把看人吵架、听人讨价还价、替人看病都视为体验生活、捕捉灵感的机会，专门整理了一本老广们的日常金句《古今歇后语》，为自己的讲古输血，如“铁无返工之力，人无过后之恩”“湿水榄——两头尖”“落雨担遮——死撑”“竹篮打水——一场空”“大花脸抹眼泪——离行离捺”“火烧旗杆——长叹（炭）”。因喜欢讲武侠小说，自喻为“二悬斋里的霍大侠”——“为医者悬壶济世，讲古时口若悬河”，从不讳言自己“讲古佬”的身份。

此外，曲艺团演员出身、后任职番禺电台（现改为融媒体中心）的“70后”媒体人林劲，是一位在书场、电台、网络灵活转身的讲古发烧友，认为讲古就是“在别人的故事里学做人”，既重视传统说书的“大扣扣小扣”，也提倡“串行”“跨界”“跨时代”，更呼吁传播粤语文化，讲出“广东味”。1989年出生、师从颜志图的市级非遗传人彭嘉志，是“父母眼里有些不务正业”的自由职业者，客串过电视主持和说书人，作为同龄人中的“异类”，逆风而行，“更追求传统的说书味道”，不定期在公园、广场、图书馆等设坛讲古：“觉得在现场说书是最爽的，你可以马上跟观众互动。”因为“说书不只是一个人在表演”，自认为是“一个老派的人”，“恨不得把传统的生活方式复刻到自己身上”。

在粤语讲古界，还活跃着另外一种类型的表演者，他们或是话剧演员，或是粤语配音演员、播音主持人，或兼而有之，但都在主业之外兼职讲古。如有“话筒姐妹”之称的冼碧莹和缪燕飞长期从事话剧演艺和粤语配音工作，却因电台讲古（主要是讲故事和小说）受同行尊敬和听众爱戴。叶振邦、梁锦辉、李伟英等也是其中的卓越代表，他们的加入让粤语讲古老树发新枝，也让老派讲古从茶楼、“开街档”登上大雅之堂，但由此也引发了一些纷争，出现“旧派”与“新派”、“旧古”与“新古”等不同说法。如缪燕飞自称“体验派”，“受斯坦尼斯拉夫斯基表演体系影响”，认为自己这一派以林兆明、张悦楷等话剧演员为祖师爷，与传统说书的“草台班子”不是一回事。叶振邦和他的老师“缪姨”一样，反对传统说书“书接上一回”之类过于程式化的表达，坚称自己是“新古”一派。有意思的是，“旧派”也可能借助电台、电视、网络等媒介空间，“新派”也会借用草根说书的贯口或话语，如自称“读书不多”、“社会大学文学系”毕业的缪燕飞喜欢用粤语俗语来化解“播音腔”：“醉酒佬数街灯，不知几盏。”而见多识广、浑身散发一股“潮味”的叶振邦对老派讲古人胡千里的草根风格终生难忘，对“眉尖额窄，无黎贵格（没有富贵相）”之类的俗语活学活用。

如何看待这种所谓的“分野”？问题被我抛向了所有受访者，但我更关注颜志图的理解和回应，因为相比其他所有在电台配音、兼职讲古，或以讲古为业余爱好的艺人，他有名无分，有业无职，毕其一生，主要都在剧场演出，是最简单、最纯粹的“讲古佬”。虽然，我问话委婉，但颜老显然懂我的用意，他几乎是不假思索地回答：判断讲古好坏的标准只有一个，即听众是否喜欢。至于书坛讲古、电台讲古两种方式，不能简单以高下论，前者可以看稿，随时能修正错误，便于在声音和内心情感上着力，后者要面对听众，声音之外，最重要的是身体语言，还要能掌控全局。我趁势抛出了一个积蓄已久的疑惑：一味迎合大众或学生就是好老师吗？颜老的回答依然笃定：“讲古和教书都要深入浅出，但我们讲古终究是娱乐，把听众留住才是真功夫，老师总有不同，要教书育人。”我认为颜先生的解答算是最好的回应。

在老城区的牛头巷，我目睹了老人的拮据，但出现在采访地荣华楼的颜先生，似刚从旧上海来，衣着得体、时尚，一件考究的黑色加绒夹克，里面是米色开衫立领毛衣，与先生的鹤发童颜形成绝配。当天在荣华楼采访时还有一个细节，颜先生的夫人一直静坐一旁，偶尔插话，或补充，或提醒。当颜老对着翻译说话时，她会大声用粤语提醒：“这是老师问的，你要望住她。”席间，因为颜先生服药，中断采访，她一直轻声用普通话向我们表达歉意。末了，我提出和颜老合影，颜夫人立马走过来为先生整理衣领。那一刻，我突然想到金鞭溪旁晚年的沈从文与张兆和。

“床头金尽，壮士无颜；潦倒穷途，英雄气短。”这是颜先生讲过的《水浒》，他深刻了解杨志的挣扎。不因穷困而潦倒，我从先生身上看到了老广州人的体面。所谓古典的草根，应该也包括颜先生这一代人，以及他们终生挚爱的讲古。

（作者系华南理工大学新闻与传播学院教授）

目录

粤语讲古

冼碧莹：无往不畏，一生想做个文艺人

采访者：陈周起、包莉婷、黄静仪、梁永超、王一淋、周婷、梁冬芳

整理者：何漫、包莉婷

受访者：冼碧莹，女，1933年出生于广东佛山顺德

采访时间：2017年4月22日，5月13日，2020年11月2日（线上）

采访地点：冼碧莹家

冼碧莹在家中接受采访（2017年4月）

自小“打戏钉”、演话剧，与语言艺术结下不解之缘。先后担任华南文艺学院话剧团演员、上海电影译制片厂的粤语配音演员、广东人民广播电台（简称“广东电台”）讲古演员、导演。获评第一届全国优秀文艺工作者，受到毛主席接见。演艺界赞之：“一个人一张嘴，演尽世间人，讲尽天下事。”自我期许：“乐于学习、善于学习”，“用终身的热情推广与传承讲古文化”。

一 在香港“打戏钉”、往柳州逃难：艺术、人生的童年启蒙

1933年，我在顺德县碧江乡[1]出生。我父亲是长子，母亲是大媳妇，我出

①顺德县碧江乡现为佛山市顺德区北滘镇碧江村。

生后便被父母带到香港，和我的祖父母一起生活。爷爷当时在香港道亨银号打工，坐柜台，后来爸爸也在那当伙计，经常扛着一袋袋银圆取来送去——从一家银号取出银圆，递送到另一家银号。因为爷爷、爸爸都在银号工作，所以我们家生活还过得去，温饱无忧。

奶奶和妈妈都非常喜欢看粤剧，又听粤曲，常常到戏院“打戏钉”。“打戏钉”就是到戏院看最后一场大结局的戏，是在戏院最后一排座位后面站着看的。最后一场戏票价很便宜，也往往是最热闹的一场戏，双方人马大老倌都出场，大打北派武行决胜负，所以很吸引观众。经济起见，也为了看见精彩的场面，我的家人经常去“打戏钉”，我在很小的时候，就由妈妈背着去戏院了。后来大概三四岁，我学会走路了，妈妈就牵着我的小手去戏院，在剧场站在椅子背后看不到舞台，她就把我抱起来一起看。我很小的时候不懂，被背在背上不管，长大了自己想看戏，所以要人抱起来。再大一点，我懂事了，会说话了，就问爷爷、奶奶、妈妈：“哪个是好人？哪个是坏人？”“等一下哪个会打赢？”我很喜欢问这些问题，他们就直截了当地回答：“忠的（会赢）。”所以“忠的是好人，好人打胜仗，坏人打败仗”

全家福（1990年前后）

的观念从小就植入了我的脑海。

我几乎从出生起便跟着大人看粤剧，整天这样看，久而久之自己也真心喜欢唱曲演戏了。我们家在香港住的地方不是很宽敞，睡的是“碌架床”（双层床），我常常站在床上，把大毛巾披在身上当作戏服披风，扮作英雄，在床上“咿咿呀呀”地又唱又打。至于学唱戏，我那时既想学，但又怕被人听到唱不好，于是就躲在门后角落里乱唱一通。我记得自己那时口齿还不伶俐，却喜欢学唱当时粤剧名伶月儿的粤曲，有一句唱的是“月底看看，月底看看，看那月那幽香……”，我大概只能把调对上，字句根本唱不清楚，但中华文化艺术的种子已经在我幼小的心灵里生根发芽了。

在香港七岁就可以上学，我在领岛小学读的书。学校离家不大远，只是途中有一条坡度很高的大马路。当时香港受英国的管治，学校主课是英语，但也开设国文课，毕竟多数是中国学生。我们的国文课教《三字经》《论语》《古文观止》等。我一年级接触《三字经》那些，二年级学的更多，到现在我还能脱口而出《孟子》的篇章：“孟子见梁惠王。王曰：‘叟！不远千里而来，亦将有以利吾国乎？’……”

那时有很多公仔书（连环画故事书），大人爱看，小孩子就更受吸引了，我从这些公仔书中得到了很好的教育。像《岳母刺字》讲的是忠，《卧冰求鲤》讲的是孝，《木兰从军》讲的是忠孝两全，等等，公仔书讲的都是有关忠孝仁义等传统道德的故事。当时的电影也是如此。我读小学一年级的时候还经常独自跑去离家很近的电影院看电影。我一般看外国的电影，英美的电影也有很多英雄的形象，他们劫富济贫，救济穷困地区的人民。歌舞片里有个叫Shirley Temple（秀兰·邓波儿）的女童星，跳舞很好看，她长大后成了美国历史上第一位女礼宾司司长。我也看过一些像《出水芙蓉》等大明星演的戏，不过印象最深刻的还是英雄电影和秀兰·邓波儿的歌舞片。

在那个年代，戏曲、电影、公仔书、学校对我的教育都是积极正面的，它们深刻地影响了我的价值观。用现在的话来说，这些“正能量”从小就注入了我的情感和认知当中，也体现在我的行为表现中。儿时有两件事仍旧历历在目。一件事是某天一群和我差不多大的孩子在我家楼下一家商铺前打群架，乒乒乓乓的声音传到我住的二楼，我心想：这怎么行？怎么能打架？于是马上像路见不平、拔刀相助的豪杰那样，拔出帆布床上的木棍直冲楼下，大喝一声："谁打人啦？"结果那些打人的孩子见我来势汹汹，嗖一下全跑光了——我才想起自己只穿着背心短裤！我那时刚刚读小学，七岁，想学人家当英雄豪杰，结果外衣外裤都没穿。另一件事情发生在爷爷带我去喝早茶的时候[①]，一大早五点钟，爷爷就叫醒我："起床了，阿段！（阿段是我的乳名）"把我喊醒后一起去喝茶。在茶楼吃完点心之后，我们正往家里走。我手里拿着一袋鸡球大包，走着走着，突然被一个年纪和我差不多大的男孩子一下子抢去了鸡球大包。我整个人愣住了，不懂得去追，后来看到他在前面拆开袋子狼吞虎咽。我当时呆了，心想："他好饿啊！他好饿啊！"遇到这样的情况，我没有喊，也没有让爷爷追他，心里根本没有恨抢走包子的男孩，反而同情他竟然饿成那样！我十分难过，我从小受到的教育就是要做有爱心的人。直到如今我还记得当时的街景和小孩的模样。以上是我记忆里最受触动的两件事，是我所受善恶分明的故事的影响和所受的中外优秀文化教育的一种反映，它们在我小小的心灵里面撒下了良种，令我成长。

1941年，日本鬼子来了，天天空袭。当时我上二年级，书也没法读了，每天都要跑到防空洞里躲起来。1942年，父母带着我和妹妹往内地逃到柳州，大伙儿包了一条木船逃到附近一个很偏僻的山村。日本兵是不会到这地方的，他们只占领城市，需要补给的时候派兵下村里抢粮食、牲畜。日本兵要来，我们先躲起来，他们拿东西走了以后我们才回家。可能因为这里是山高水远的穷乡僻壤，很少有日本兵来骚扰，我们难得在村子里过着幽静平安的生活。爸爸经常和一起逃难来的朋友聚会聊天，妈妈买菜煮饭，我和妹妹也主动学做重活，承担起了挑水洗衣服的任务。村子在山腰上，要到山下挑水洗衣，得下一道长长的山坡，再经过一片长长的河滩。河滩的沙子又厚又

①当时我的父母去了越南打工，爷爷不愿意我跟着漂洋过海受苦，于是让我留在香港读书。

软，在河滩上走一步，整只脚陷下去，再走一步，又是整个脚陷下去，十分吃力。我们需要走很远才到达水源，挑着东西走回去更辛苦。最初我和妹妹两个人只能抬半桶水，经过磨炼，我能一个人挑起满满两桶水了。

虽然如此，在小山村生活的这段日子是我最难忘的，生活得快乐而自由。大自然的优美景色、村民的勤劳善良，让那种劳累辛苦都成为玩乐和磨炼身心意志的机会。我如果一直在香港无忧无虑地生活，便无法在广阔的天地里磨砺自己的身心。

二 “爱诚贞毅”：培道女中演“女一号”

1945年8月，日寇投降。等到1946年初，我们才回到柳州市。当初离开柳州乡下时我读到六年级的上学期，父母要我和妹妹在柳州读完小学再回广州，于是我和妹妹就寄居在柳州的朋友家里，父母则先回广州安排住房和工作的事情。经过几年的磨炼，我们长大懂事了，能够独立生活了，父母便放心留我们在柳州。在柳州上学和生活起居，我们全靠自己。

1947年暑假后，我该上中学了。我父母都没有进过学校念书，对学校很陌生，念大学的姑姑主张送我去培道女中[①]。这是一所由美国牧师创办的学校，声誉远播，教学成就极高。我从西关到东山读书，路途遥远，刚开始家里不放心，让银号的小车司机送我上学，我有点不习惯，不久熟悉环境后，就自己拿着书坐公共汽车上学了。我在乡下多年习惯了赤脚到处跑，而上培道女中要穿校服——夏天穿白色旗袍，冬天穿蓝色旗袍——而且还要穿鞋穿袜，必须穿戴得整整齐齐。起初我这样风风火火的人压根受不了，总是感觉火辣辣的。放学一到家就急忙脱鞋脱袜，跑去打开水龙头冲脚，感觉舒服以后，又赤脚在家里走动了。

我很喜欢在培道女中上学，因为学校的课外文娱活动特别丰富多彩，

①今广州市第七中学。

不像别的学校那么死板严肃，其中合唱、演讲、舞蹈、戏剧表演等是大家的至爱。学校经常组织演讲比赛，我总是拿第一。我也常常参加排演戏剧。香港长剧《真情》的演员黎宣①也是培道女中的学生，她念高二的时候我念初二，起初女主角没我的份，等她毕业了，我便来担当女一号。我和她关系非常好。她原是广东话剧团的演员，后来去了香港。前年她到美国时，我们还一起吃饭。我也喜欢唱歌，我最神往上音乐课，音乐老师叫赵芳信，她教我们唱歌时优雅的指挥姿势、弹琴时动人的琴声和她优美的歌声，总能让我得到抚慰和激励，也让我梦想成为一名歌者。学校的师资条件特别好，当时唱《教我如何不想她》的那个男高音歌唱家还受邀来我们学校。我最喜欢语文老师，她同时也是我的班主任，她像抒情诗歌散文一样情感丰富，时而粗犷，时而细腻，让我曾经梦想当个文学家。她待我如同亲生女儿，很喜欢我，也许是我文学不错的缘故。我们最不害怕的是体育老师，他的随和、童真打破了男女师生的疆界，让有些不爱运动的女孩在体育课上也玩得很开心。我这个小个子跳高竟然能跳到比我自己还要高许多的高度呢，当时的条件是只有两条童军棍在两边拉着，水泥地面，跨越式跳高。除此之外，我推铅球的成绩甚至达到了参加市运会的水平，学校至今还保留着我推铅球的照片，不过我到底没想过当一名“体育之花”。我还记得当年的英语老师，一位白发苍苍、十分可爱的洋老太太。她常让我到她宿舍，辅导我学习英语，使得我在初三时只要有一本字典在手就基本可以读懂英文版的外国名著。以至于几十年后的今天，我还可以借着字典读懂一些英文书信。令我陶醉的是礼堂和舞台，老师让我上去唱歌、朗诵、演讲、演戏，让我在舞台上辨识人生百态，体味世间百味，我因此又希望做个文艺人。

我在培道女中的学习生活如鱼得水，演讲比赛经常拿奖，唱歌经常领唱，演戏也当主角，学习成绩总是名列前茅。我在培道女中学到了那么多

①黎宣，香港资深演员，出身电影世家，是中国电影先驱黎民伟之女，家中排行第五。堂姐为演员黎灼灼；侄女黎姿亦为演员。

的知识，体会了那么丰富多彩的校园生活。校训、校歌也让我受益匪浅。培道的校训是四个字“爱诚贞毅”，“爱”是要胸怀大爱，悲天悯人；“诚”是诚以待人，信以处事；“贞”是洁身自爱，不图名利，起初是贞洁的“贞”，后来有人说那不是封建思想要女子保持贞洁吗，于是提议改为“真”，后来七中的校训也是“真”，其实“忠贞爱国”也是“贞”；“毅”是处变不惊，百战不殆。如果做人真能够像校训说的那样，确实了不起。在培道女中读书的时候我们天天唱校歌，校歌唱的“四德俱备兮，无往不畏”等。四个字的校训来回变化，校歌最后一句是“记取爱诚贞毅”。校训成为我们一生中处事待人、律己的规范，也成了我们挡风抵雨努力前行的动力！

我的学校治学严谨，学风很正，教会我读书做人，因此我很爱我的母校。

三 楷叔是我演话剧、讲古的引路人

新中国成立以后，学校恢复上课，各种文艺活动都恢复了，而且搞得更热闹。当时中苏友好，华南文艺学院话剧团（华南人民剧团，后称华南文艺工作团，简称“文工团”）演出苏联名剧《曙光照耀着莫斯科》，由张悦楷（楷叔）饰演男主角。我只是学校的业余演员，从海报上看见楷叔振臂高呼的英姿，那种英雄气概让我崇拜不已，我也真想演戏呀！不久培正中学要演出苏联名著《望穿秋水》，主角是个卫国英雄。培正是男校没有女生，于是他们邀请我饰演女主角，英雄的恋人。过去说男女授受不亲，广州解放之后气氛开放许多，学校允许了，我当然也乐意。后来楷叔还被邀请来我们学校指导我们排戏，从此我认识了楷叔。由于我们都住在西关，平时有来有往切磋演技，他成了我敬爱的艺兄，也是我在讲古路上的引路人。

楷叔在华南文艺学院的话剧团工作。新中国成立后不久，北方遇到灾情，我们学校组织演出，让大家购票救灾。我们排演了一部反映中华人民共和国成立前农村生活的多幕话剧《大榆林》，讲的是一个农村寡妇的故事：儿子被拉去做壮丁，寡妇孤身一人吃尽苦头，后来翻身做主人。我当时才十七岁，饰演女主角，一个老太婆。有一场戏是老人家在万人大会上，诉说和儿子团聚的喜乐以及失去儿子的痛苦。我一个人站在舞台中间，台下一片漆黑，想象下面坐着的都是乡民，一束灯光打下来，照着我的身体、我的脸，我向他们述说主角的苦与乐，说着说着，我的眼泪不由自主地流下来……

当时文工团的团长是史进，他带着几个导演、演员来看我们演出。散场的时候我们下台去见他们，被他们夸奖一番。过了几天，音乐老师带着我们三个参演的女生应邀到东山的茶楼吃饭，原来是史进老师代表文工团邀请我们参加文工团，在剧训班接受培训。我很意外，心想：不行，我还没上大学，况且我喜欢唱歌，音乐老师说过要帮我好好练习，毕业后考音专，所以我当时下不了决心去文工团。史进老师没再说什么，只强调一句话："今时今日是革命需要！"

我们也理解，新中国刚成立不久，各条战线都需要新生血液，各行各业都需要新人才。但我是去考音乐学院还是去文工团演戏呢？怎么办？想来想去，最后还是革命思想占了上风。我觉得唱歌面向小众，不够大众化，而戏剧更加大众化，教育意义更大一些，既然说到是革命需要，那我便去吧。我想好以后跟父母说了，他们知道我是喜爱表演的，只是担心有安全问题。但我不怕，我相信共产党，相信新中国，经过了战争年代的磨炼，经过了母校的教育，我成长了成熟了，知道要求进步，知道表演艺术是我为人民服务的本领。我的父母不是封建家长，所以没有反对我的选择。当时一起吃饭的三个同学，只有我一个加入文工团。那时是1952年，我刚念完高二，当时每一个加入文工团的人都是决定一辈子跟着文工团走的，我也做好了完全独立的准备。离家那天我只拎着一个小藤箱，半边装着我喜欢看的书，半边装着贴身衣物。当时是部队供给制，衣服、被铺、饮食全由部队供给，一个月有三块零用钱，用来买袜子、肥皂。我们一个月可以回家一次，我或是回家，或是去探望楷叔，楷叔很幽默，我喜欢听他笑谈演艺。

进入文工团后，新人都要在剧训班接受十分严格的训练。每个新生晚上都要轮值放哨，一个人挎枪站在高楼阳台上瞭望放哨，那长枪加上刺刀差不多和我一样高。当时还有很严苛的形体训练，我们每天起床后要到排练厅做各种训练形体的动作。特别是压腿、拉伸，每次锻炼完以后我们下楼都要扶着腿一级一级往下挪，腿有时不能站直，有时无法弯曲。除了形体训练，我们还要学表演理论，进行排演。有一次上表演课训练想象力，导师拿一个铁皮喇叭往地下倒扣着，让我们围起来坐在地上，每人想一个故事。我不知道其他人怎么想的，我立马想起看过的苏联电影，电影中常见的屹立在红场上抗击法西斯的卫国战争纪念塔，觉得这个倒放着的喇叭很像一个塔。于是我联想到苏联莫斯科牺牲的战事，想起卫国战争牺牲的战士马特洛索夫和英勇杀敌被捕被折磨死的女英雄丹娘……我说着说着眼泪止不住哗哗涌出来，大家很感动，导师也对我赞扬一番。斯坦尼斯拉夫斯基《演员的自我修养》里面讲到一条，演员的想象力很重要，没有想象力演不出戏的。没有想象力怎能进入戏剧的设定情景中呢？不在戏中又怎能把角色表演好呢？剧训班的学习让我开窍了，它告诉我光喜欢不行，还要认真努力去学习、实践、体验才能成功。

还有一件意想不到的开心事发生在我去上海联合电影制片厂[①]做粤语配音员以后。1957年，我参加文化部在北京召开的第一届全国优秀文艺工作者颁奖大会。有一天大会休会，我在宾馆里休息，突然接到楷叔打来的电话。我不知道自我离开广州去了上海工作后，楷叔也暂时离开了剧团，他以岭南大学毕业的土木工程师的身份参加了建设的工作。那一次，他为工程上的事到北京出差，得知我在北京开会，因此打电话到宾馆找我。这真让我喜出望外！那天我们在宾馆见了面，一起到市区游览，吃北京美食，谈海南建设。

---

①1950—1952年，由上海长江电影制片厂、昆仑影业公司、国泰影业公司等8家私营电影企业联合组建的国营电影厂。1953年，与上海电影制片厂合并，沿用上海电影制片厂名称至今。

他为祖国的发展建设放下了自己热爱的且已有所成就的演艺事业，我打心底里敬佩他。他知道我得了优秀配音演员奖，获得毛主席接见，也为我高兴。我跟他聊起配音的趣事。尽管有说不完的话却也终须一别，我在刹那间想起故乡的父母、亲朋故旧，不知何日才能与他们相见。那时候我已经五年没回家了！在那个年代，我们心里想的是：参加工作就是参加革命，革命有需要的话我们就四海为家，我已经准备好这辈子都待在上海了。

1958年，珠江电影制片厂（简称“珠影”）兴建，我从上海回到广州，刚回来没有什么工作，很快电台就邀请我去录制节目，开始只是录制中外童话和诗歌。电台的工作人员知道我是粤语配音演员，他们也许知道我跟楷叔熟络，直接打电话来找我。我第一次录制了一首诗，不算长，台里给了我三块钱酬金，在当时已经是很大的数目了，我很吃惊：“录几句诗就给那么多钱吗？”后来电台不敢给酬金，就变成了送礼物：送钢笔、墨水笔，送书，钢笔上面刻着字“送给冼碧莹同志”，书就是《列宁是怎样学习的》，我收到两支钢笔和好几本《列宁是怎样学习的》。到了后期电台工作才慢慢变成酬金制。我觉得朗诵诗歌有两三块钱收入挺好的，毕竟在广州工作工资很低，当时电影学院刚毕业的学生才三十五元一个月，第一年之后是五十元。那时楷叔完成了建设海南岛的任务，回到了话剧团。电台邀请楷叔和我录了不少诗歌和儿童故事。我在电台录制的第一部小说是《青春之歌》，作者是杨沫，这是由电台定好作品找我们录制的。刚开始的时候电台录音只有粤语，只有省台没有市台，一有时间我就和楷叔一起录广播。我曾和楷叔录制一篇长诗，节目播出以后，来自各地的信件像雪花一样飘来，学生听了很喜欢，向我们要诗稿。有一次，我们选录了一段巴金名著《家》里面觉新和瑞钰新婚前夜的一场戏，全是内心独白，十分难演，从头到尾两人只是各站一方，互相窥探，没有任何动作、语言，这比你一句我一句的对话难多了，全靠自己发挥想象进入情景，只有诱发自己的意念和情感才能演绎好（这是语言艺术表演很重要的一环）。和楷叔合作，对我是很好的锻炼和提高。

不久电台推出《小说连播》栏目，于是林兆明、缪燕飞、梁锦辉、吴克等粤语名家纷纷亮相，讲古盛极一时。

工人端着饭碗在操场的大喇叭下听讲古，路人驻足街头听商铺定时转播《小说连播》，饭桌上的小朋友耳朵贴着收音机忘了吃饭咽菜。张悦楷、林兆明和我分别录了中国古典四大名著，这是20世纪80年代之后的事情，从此长篇小说录播的趋势一发不可收拾，电台录制的作品从文学点播发展成长篇小说连播。楷叔和我一起为中唱广州公司录制了武术、中外童话和古诗磁带。记得那年刘晓庆、姜文主演的《芙蓉镇》公映，深入人心了，电台提出要我录播这个故事。我突发奇想，我们也可以像电影那样男女双声主讲，可能有异曲同工之妙。电台同意了，楷叔也乐意与我再次合作。我和楷叔各自设计好所有有关男女主角的旁述和对话，录音很顺利了，我俩你一言我一语，几乎是拿着书直接念，我自我感觉也不错，把角色泼辣的性格展现出来了。楷叔是好戏之人，他把情绪节奏带动得很好，跟他搭档很容易入戏，一气呵成，很少重录。很快，这双人连播小说就出台热播了。由于内容是当红影星主演的电影故事，而且是首次男女合讲，又有楷叔坐镇，听众当然会觉得新鲜，效果不同凡响。可惜就只有这一次机会，一来我和楷叔各自有许多讲古任务，二来也难找到合适二人合播的小说。除此之外，我还录播了不少

冼碧莹旧照

财经小说，都是有关做生意的故事，是电台给的任务。我参加配音工作跟后来的事业发展有很大关系，提高了自己的表演和语言水平，而讲古也是我特别感兴趣的事情。

我很感谢楷叔，是他将我引上话剧表演的路，又将我引入粤语讲古的门。

四 “投身革命”：赴上海学习专业粤语配音

1952年话剧团的剧训班结束以后，团里让我们准备下乡参加“土改”，进一步接受锻炼。当时广东省接到中央电影局的通知，为了满足几千万粤语同胞的需要，国家要成立粤语配音组（当时上海已有普通话配音厂了）。由于广州没有电影厂，只能从广州调粤语演员去上海联合电影制片厂，开展粤语配音工作。调配演员的任务落在文工团上，于是团里派出了几个人，我是其中之一，另有四位是在香港从事过演艺和配音的前辈（他们通过话剧、歌友团来团结民众）。上海的粤语配音组，第一批共八个人，我是其中的一个，第二批又去了几个，一共十多人。

我们到上海联合电影制片厂就等于是到革命队伍，当时的大演员白洋、吴茵等对我们都很友好，大家关系融洽，相互学习。厂里全是用来拍电影的摄影棚，没有配音专用的录音室，我们就在摄影棚一角围一圈干稻草作隔音墙。一面挂上银幕，对面摆个放映机，用架子上的竹竿吊挂一个录音话筒，话筒可以根据演员的位置和声音的要求前后左右移动。我们就站在话筒下，对着荧幕上演员的表演，一遍一遍地排练录音，替角色配上粤语对白。配音的时候我们在一排凳子上坐着，轮到谁谁就赶紧跑到话筒前面；两个人一起配音的时候，轮到对方说就把话筒调到他那边去，轮到我说我就把话筒移过来。每次配音都忙得满头大汗。

配音前有导演告诉我们配音是怎么回事，要注意些什么，但我们到底是新演员，配音的方法主要还是得由我们自己揣摩。配音最起码的要求是口型对得上，另外还需要进入角色情感，这样一张口说话不仅口型相配，语调感情也是对的。配音之前我们会进行排练，把一两个小时时长的电影剪成一小段，利用循环放音的设备一遍遍练习，初排、复排、全剧排，最后才正式录音。当时不像现在的技术这么成熟，也不讲究太多，两三天就可以录制完一部电影，当时我们得付出二十天到一个月的时间才能完成一部电影的配音，一小段一小段进行，不成功就抹掉重新再来。我们的第一部粤语配音电影叫《钢铁战士》，讲的是两个小战士的故事。那时候正值夏天，大家都闷在稻草墙里一遍又一遍地排练，胆战心惊、大汗淋漓。我为小战士刘海泉配音，他大概十一二岁，是电影里的小男主角，这是我配音的第一个角色。结果录完我就病倒了，高烧不退。因为大暑天在没有风扇的稻草堆里头闷了将近一个月的时间，患了重感冒，连续住院多天。我的身体向来挺好的，这是我一辈子第一次也是唯一一次因为身体原因住院。那时候医疗水平不高，同事都为我捏了一把汗，幸好我大难不死，又活过来了。

第一部戏配音完成以后，制片厂将一个办公室改成了录音间，配置了录音设备和荧幕，配音条件改善了许多。我们配音的第二部电影是当时红极一时的、由中央人民艺术剧院（应为北京人民艺术剧院）演出的话剧《龙须沟》改编而成的电影。主角是程疯子和程娘子，由我配程娘子，黎海生配主角程疯子。我们第一批的三个年轻演员里，另外两人嗓子太尖，有音域局限，只能是固定配女孩子的角色，没法配男孩子和大人了。我低中高音都可以，上学的时候没有经过特殊训练，到了配音组，男女老少的角色都由我包揽。《龙须沟》里的程疯子什么活都不干，都是他的娘子打点内外的活儿，一边养家糊口，一边伺候着疯疯癫癫的丈夫，所以她对丈夫是恨铁不成钢的心态，又爱又恨。程娘子一身劳累，满心酸楚，但她能够坚强地忍受着生活的折磨，成为家中的顶梁柱。我当年只是一个十九岁的少女，没恋爱没结婚，哪有这样的生活体验？既然缺乏生活经历，那就只能自己多下功夫。好在我小时候逃难，在农村生活劳动过，加上看书、看电影、看戏剧等，多少有些对生活感知的积累。我一方面通过反复观看电影，观察于蓝饰演角色的表情来感受程娘子的内心情绪变化以及语言动作的习惯特点等。另一方面是去菜市场观察人物百态，我在上海坐汽车上班要经过一个菜市场，这个菜场成为我体验生活的地方。我在菜市场仔细“研究”里面的妇女，看她们的神态和动作，听她们说话的语气和节奏，抓住她们的共同特征，让自己进入角色。经过一番努力，我总算配好这个角色，并通过了，但我感觉自己还是嫩了点。

1953年，上海电影制片厂与上海联合电影制片厂合并，成立新的上海电影制片厂。到了新的工作单位，普通话配音组就在我们粤语配音组旁边，普通话组配音演员都是老大哥老大姐，配了很多电影，我们就经常跑到隔壁看他们配音，看他们怎么演、怎么配。我们和普通话配音组的演员天天见面，一排完戏就跑到隔壁坐在后面看他们配音。那时候人际关系简单，相互知道名字的便是朋友了，我们看见谁有空退下来了就抓紧机会请教，他们也乐意指导我们，对我们特别好，很快大家都成了亲密的好朋友。普通话配音组的演员好多都是从东北、山东文工团过来的，北方比南方早解放，他们都是革命干部，人品让人赞不绝口。他们配外国片，活灵活现，就像是外国人说的，精彩极了。后来我们除了配国产片，也配过不少外国的著名电影，如苏联的《她在保卫祖国》《丹娘》，日本的《血疑》《排球女将》，印度的《两亩地》《流浪者》……由于我得到锻炼的机会多，语言艺术和表演艺术水平提高都比较快，成绩比较突出。

1957年，文化部在北京召开第一届全国优秀文艺工作者的颁奖大会。上海电影译制片厂粤语配音组有三人获奖：导演李鸣、电影《两亩地》里父亲一角的配音演员谢国华，还有一个便是我。这是我人生的第一次丰收。全国的艺术界前辈、大明星都会集北京，参加颁奖大会的艺术工作者在北京有连续几天的行程安排，大家天天开会、研讨，气氛十分热烈，不开会的时候就一起聊天，很开心。我当时跟著名电影演员白洋同住一个房间，她人特别亲切随和，没有一点架子，经常和我聊天开玩笑。

会议结束的前一天，毛主席、周总理、刘少奇、朱德等中央的重要领导在中南海接见全体与会者。最后拍大合照的时候，第一排是中央首长们的位置，后面一排排阶梯上站满了来自全国各地的文艺工作者。我们上海电影译制片厂获奖的演员有幸站在首长席后面，而且距离毛主席并不太远。在毛主席接见我们之前，有人告诉我们："谁也不能主动抢前去跟毛主席握手，毛主席向你伸出手，你才能伸出手去握！"大家尽管内心异常兴奋，但只是乖乖站在自己的位置上。那时我站在离毛主席不太远的地方，拍完大合照，毛主席站起来往我们这边走，和一个个文艺工作者握手。我看着主席越来越走近我了，既兴奋又紧张，内心已经酝酿着待会握手时要对毛主席说的话，想着一定要说一句"毛主席好"，还没轮到我，我的手已经猛在冒汗，只好悄悄往裤子上擦。想着想着，毛主席已经跟旁边那位握完手，他走到我面前，向我伸出了手，我握着他的"巨掌"，盯着他慈祥的面容愣住了，一句问好的话也没说出来。结果毛主席跟我握完以后，就用湖南话跟身边的人说："那边我不去了。"首长们就陪着他老人家转身往回走了。大家安静地目送毛主席和首长们离开后，一下炸锅了，有人兴奋地又唱又叫，那些没有跟毛主席握手的人"呜呜"跳起来，还有人问："最后跟毛主席握手的是谁？"我就回答说："是我！"没想到"哗"的一下，好多人把我包围起来，一个个握我的手说："这是毛主席握过的手，真幸福啊！"我旁边的老演员泄气极了，正准备轮到他，毛主席就说不去了。不过大家都理解，毛主席日理万机，哪能花太多时间和全体获奖者握手啊！这对我来说是一件终生难忘的事，可惜这张合照在"文革"时丢失。那时候我经常出差在外面拍电影，就把认为宝贝的东西都存放在父母家里。我爸爸曾在银号工作，所以家里在"文革"时期难逃抄家命运。红卫兵把我家里的所有好衣服都抄走了，我那张存放在樟木箱里的大合照也不知去向。

那天晚上电影局举办庆祝晚会，周总理出席了，幸运的是译制厂配音演员的座位被安排在周总理旁边的一席，我们想不到粤语配音组的成员能够受到电影局的厚爱。周总理坐在正席的位置，来自全国各地的演员，尤其少数民族的同胞，乐曲一响起，都抢着和总理共舞，大家排起一长队，这边走了那边补上。我们本来也想过去，但想到总理实在太累了，就在旁边老实坐着，因为坐在总理旁边已经很光荣了啊，应该知足了。电影局长王阑西特别照顾我们，舞曲间隙，他特地把我们粤语配音组三个人带到周总理跟前，向总理介绍我们是广州来的粤语配音演员，于是总理就跟我们一个个握手问好。总理握着我的手亲切地说："你是广东来的？好啊！广东好啊！"我兴奋得又只顾点头行礼，不知道说什么好。这是另一件让我毕生难忘的事情。

1958年，中央批准广州筹建珠影，粤语配音工作划归珠影，我们粤语译制组全部调回广州。我当然很高兴，因为能够经常跟爸爸妈妈见面了。但刚回到广州那会儿我还是很想念上海，还经常托上海的朋友给我买上海的牙膏、香皂、鞋子、衣服等。上海给我留下了很好的印象，我怀念那段时光，我对上海的情感很深。

五 配音、讲古、做导演："过足戏瘾"

在我从上海回广州不久后，广州成立了广东广播电台粤语配音组，粤语配音的事业突飞猛进。我一有空就过去凑热闹过瘾，自荐配音，开头拍电影也没那么忙，粤语配音组也不客气，因此我和粤语配音组的成员都特别亲，关系保持到现在，他们一个个都像我的孩子，冼姨前冼姨后地叫我，就像老友记，像亲人一样的老朋友。

1959年珠影厂建成，因为电台有配音组，我们这批从上海调回来的配音演员就被分配在珠影各部门工作，有的被分到制片厂从事行政制片工作，有的被分配做剧务、录音、影片洗印、化妆，等等，在不同的岗位上继续发光发热。我和一个男演员被分配到导演室去当导演助理（开始称为场记，后来就叫导演助理），可能领导认为我在这方面有发展前景吧。由于当时珠影才刚建成，各方面运作都是新开始，一部电影拍摄的时间比较长，一年只能拍摄七部电影左右。所以导演部门的人不是每天都有拍片任务的，平时多是寻找合适的故事题材，准备下一部戏的剧本。当助理的有时刚完成一部片子，又会被另一位拍戏的导演要去当助理，但也不是常有的事情，因此我有较多的时间去电台讲古。不过拍电影到底是我的主业，我有机会拍戏时就在岗位上好好学，好好干。

我参加拍摄的第一部片子是《南海潮》，这是中国第一部反映南海渔民生活与斗争的电影。导演是资深导演王为一。另一个来坐镇的是中国电影家协会主席蔡楚生（《一江春水向东流》的导演），他亲自参与了剧本创作，所以过来亲自指导摄制。当时我是蔡导身边的一个助理，听他的指导，记住电影是怎么拍的，演员是怎么调度、怎么演的。对演员的台词、表演、服装等有关事项，我都会详细地记录下来。蔡老经常很耐心地教我，告诉我这段戏为什么要演员这么演，那段戏为什么要那样拍才好，他很喜欢教我，也很关照我，我学到了很多东西。后期工作的时候，蔡老要做《南海潮》下一集的分镜头剧本，我就在他旁边的房间休息，他半夜有灵感，想到什么东西就要写下来，我作为助理当然要在旁协助，他说我写。有时他半夜把我叫醒，说："我想到这样一场戏，镜头这样走……"所以后期他也让我和他一起来写这个分镜头剧本。电影导演很重要的工作就是分镜头，导演的本事就是分镜头，舞台戏是一直演下去的，而电影是由一个一个镜头连接起来的，拍什么样的镜头、怎么连接镜头很重要，不能胡拼乱凑。戏对了，节奏也对了，演员表演也对头了，环境气氛也对头了，这才行。蔡老让我跟着他学到了很多东西，我很感谢他。这老人家真好，给了我一个学习导演艺术的好机会，真的特别感谢他。

当时我已经是三个孩子的妈妈了，我的先生黎海生是《南海潮》的配音组副导演，前面说的当年《龙须沟》的程疯子就是他做的配音[①]。当时我们俩都在忙，只好将小女儿放在妈妈那里，将两个年纪大点儿的女儿放在珠影托儿所，做全日托。我告诉托儿所："这半年我都在外面拍戏，不接回家了。"那是广东省委机关办的育才托儿所，我们那时的工作业务归于中央电

---

①当时华南文工团派冼碧莹、黎海生去上海参加粤语译制组的培训，后两人先后调回广州新成立的珠江电影制片厂。

影局管，行政主管单位是中共广东省委宣传部。《南海潮》的工作接近尾声时，先生要下乡扶农，不料患上急性肾炎，不久后就去世了。从那往后我要一个人挑起工作和生活的重担，我那时候才28岁，大家都很替我担心。

先生的追悼会结束以后，有个曾经一起在配音组工作的同事，声音很尖很尖的，她在剧组担任化妆师，像姐妹一样陪着我。我哭累了就睡着了，她一宿没睡，我第二天醒来看见她在玻璃书桌上写满了一张纸，上面全是："怎么办，怎么办，怎么办……"满满的全都是"怎么办"。她在替我担心哪！我一个人的工作责任那么重，从经济上到精力上，怎么去照顾那么小的三个孩子？后来上海电影译制片厂的老大哥、老大姐发来一份电报，电报里有一段话，借用了苏联名著的一句话："我们的社会是个不沉的湖，你不会沉下去的！"这句话对我起了很大的鼓舞作用。我相信我们这个社会，我不会活不下去的，一定会有好多手把我拉上去，况且我也不应该沉下去。第二天我就向厂里要求上班。那时正进行修改镜头棚内补拍的工作，领导和摄制组的同事都要我休息，厂里说："哎呀，休息一下，休息一下！过了以后再说！"我不！我一定要马上去上班，我就是要和大家一起干活才舒服！

那时做补拍工作，我常常超时下班，两个大女儿快到入学年龄，不能再放到妈妈那里了，于是我把两个女儿接到电影厂，要上班就把她们锁在家。后来发现这办法不可行：要是发生事故怎么办呢？我就把家里的钥匙交给邻居，让邻居在女儿从托儿所回来后帮忙开门。有个星期天托儿所休息，我做了很多吃的东西，让三个孩子在屋里吃吃玩玩，还请了当时休息在家的同事的丈夫帮忙照看一下。当我加班完回到家时，只见同事的丈夫手忙脚乱地抱着正在哭闹的老三，两个大的都不在家。我赶紧跑出去找。有邻居对我说："哎呀，你两个女儿跑到外面车站去了！不肯回来啊。"我心急火燎地跑去公交车站，看到两个女儿呆呆地站在车站旁，气得我大骂："你们自己跑出来干吗！"她们俩委屈地齐声说："等妈妈……"我的眼泪一下子喷涌而出……可怜的孩子啊！她们知道我出去工作了，但是不知道我具体工作的地方，想到妈妈出门回家都是要坐公交车，所以特地跑到车站去等我。我心里难过得不行，但是也没有办法。好在很快厂里的有独立套间的宿舍楼盖好了，我住进了两房套间。我的妈妈为了让我安心工作，放下爸爸和家不管，过来帮我照顾孩子们，真是可怜天下父母心啊！

那时候《南海潮》进入后期工作阶段，需要洗印、切换镜头、配音等等，我正忙着最后的镜头完成。突然有一天，厂里连夜通知我马上去汉剧戏剧片《齐王求将》摄制组，当著名导演陶金的助理，第二天就派车把我送去汉剧院驻地，当天晚上我就要和导演一起写分镜头剧本。我感到很幸运，能够受到导演青睐，他们都愿意耐心教我，让我有机会实操。导演讲他设想的每个分镜头，我写下每个镜头的文字叙述，他经常给我解释为什么镜头这样分切和移动。后来在现场拍摄的时候，他突然和我说："你去推那个镜头。"我就心里奇怪：这是摄影助理的工作，为什么让我去做呢？后来才明白他的良苦用心：移动镜头是为了更鲜明地表现角色的内心活动和行为变化，加强气氛的渲染，自己操作就可以很准确地去感觉快慢，知道什么时候移动才有最好的效果，能够准确表达演员的情绪和情景氛围。有时候排戏的时候看到导演也推镜头，我以为他在玩呢，其实导演去做这件事情，才能

冼碧莹导演现场

做到心里有数，不全依赖摄影师。想到这里，我心里只有对导演的感激，他在给我机会学习啊。

后来我陆续给谭友六、卢钰、方徨、徐丹、陈岗、于得水等导演当助理或者副导演。我有自知之明，清楚之所以能够对艺术有体会，能够有所把握，全靠过去在学校的熏陶，没有经过系统正规的学习，完全就是一些实践经验，缺乏理论认识。当副导演自己是要独立拍戏的，我必须发奋学习，所以订阅了许多中外电影艺术杂志、书籍，如苏联斯坦尼斯拉夫斯基的有关导演和演员修养的著作等，希望尽量提高自己对电影艺术的认知水平。我虽然没有去电影学院学习，但是把电影学院的教科书全部都自学一遍，逼着自己去学专业的知识，学习导演、艺术、影片设计、摄影等知识。

我每天都是等晚上10点钟后孩子们睡了，才能静下来准备第二天的工作。后来我就担任导演了，拍外景不只是一月半月，三个小孩都靠我妈妈带着。这时经济上也出现了困难。三个女儿都要入学，每人光学费就要好几十块钱，一交学费就去了工资的一大半，当时我工资一百多块钱，已经不算低了，但是还有其他生活开销，怎么办？幸好当时工会有一个互助基金，每月放两三块钱进去，当遇到困难了就可以在基金借钱，然后慢慢一点点还，那时一到交学费我就去借钱，每个月还两三块钱。领导也知道我的困难，老二高中毕业后参加知青下乡劳动锻炼，需要准备很多东西，厂里还主动给我补助了好几十块钱让我去购置生活用品。当时老大能留在城里合作社工作，虽然没进入国企，但也是政策照顾了。一想到这些，我就非常感谢国家、感谢我们的社会，因为得到那么多帮助，我才能全身心投入工作，这正应了那句话："这个社会是个不沉的湖。"我没有沉下去，还能努力往上游，从助理到副导演到导演，拍摄过好多电影、纪录片，而且还一直从事我最喜爱的电台小说联播、讲故事、朗诵诗词等工作。1980年我第一部独立导演的故事片《路》是反映一个文艺青年选择走一条怎样的路的电影。本来是很好的一个片子，但是发行的时候名字被改成了《他爱谁》，我有点意见，实在太俗气了，由于已经上了中国电影发行公司，没办法改变了。当时印了三百多个拷

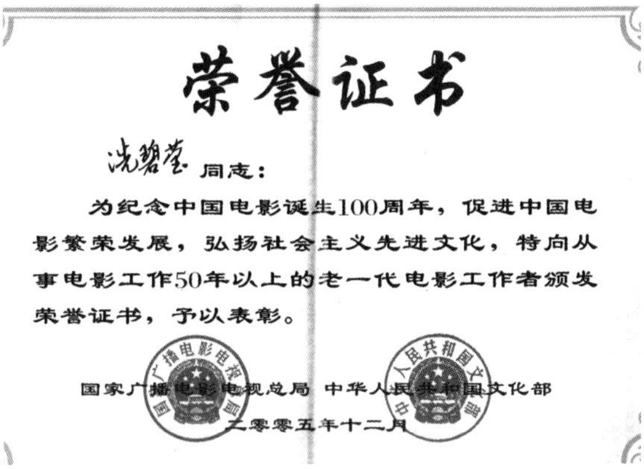
荣誉证书

冼碧莹 同志：

为纪念中国电影诞生100周年，促进中国电影繁荣发展，弘扬社会主义先进文化，特向从事电影工作50年以上的老一代电影工作者颁发荣誉证书，予以表彰。

国家广播电影电视总局 中华人民共和国文化部

二零零五年十二月

获奖证书

贝到多个中国驻外使馆，招待海外侨胞观看。当时的电影都出国，国内外都放映，主要是国外市场，与外国交流，很少有商业放映。当年《北京晚报》登载了一篇读者观后感，认为影片最后那个青年画家瞪着一双眼，怅然若失、似有所悟的大眼睛的镜头，意味深长、发人深省。这是我第一次独立导演的影片，肯定有不少不如意的地方。后来我还和香港、本厂的其他导演合拍了《省港狂龙》《野鸭洲》等影片。

后来制度改革，导演可以自由选择拍摄题材，你爱拍就拍，不爱就不拍。因为我最爱的是讲古，没戏拍更好，我就去讲古了。有人想让我拍儿童片，说："哎呀，你那么会讲儿童故事，你拍儿童片肯定好！"我拒绝了，讲儿童故事我可以自行发挥，但是小孩哪里像大人那样听话呀。电影《南海潮》里有个小孩角色，叫猫仔，蔡楚生导演做动作"猫仔的裤子掉下来"，结果蔡导示范了半天，他自己裤子都要掉了，小演员还是不肯，灯光打在小演员脸上，他只顾着喊："不干不干，好晒啊！好晒啊！"叫人哭笑不得。电影拍摄时间长，每年安排拍摄的影片不多，没有合适的剧本我不想拍，有喜欢的剧本却又不一定能够投入拍摄。在这种情况下，我迷上了拍摄纪录片。我拍了两套纪录片，拍摄手法特别，媒体都有报道。之前拍纪录片都是由讲解员旁述介绍，而我拍《孙中山的故乡》使用了戏剧手法：一位老华侨带着他的孙女回国，看见家乡中山种种变化的情景，祖父感慨、赞叹，孙女惊喜、兴奋，通过他们二人的对话突显两代人对家乡的观感和情怀，阐述了家乡惊人的变化和人们对故乡的热爱。当时没有一部纪录片是这样处理解说词的，这属于我的首创，电影局和电影艺术学院的教授观看纪录片后都对我提出表扬。拍电影很累，有任何一个环节出问题，就达不到想要的结果。我很喜欢拍纪录片，纪录片就是我说了算，喜欢讲故事——说到底还是忘不了讲古，一个人一张嘴，演尽世间人，讲尽天下事，多过瘾啊，好也是我的，不好也是我的，自己对自己负责。导演即使水准很高，也需要各个部门所有人员理解他的要求，认可他的处理，心悦诚服地配合，否则导演有再大的本事，也拍不出理想的电影。

我宁愿少拍一部电影，也要抽空去讲古，在广东电台、佛山电台、清远电台等演播了不少中长篇小说，像《红楼梦》《青春之歌》《赛金花》《芙蓉镇》《哈利·波特》等，还录制各种儿童类卡带，数都数不清了。1988年我从珠影退休，此事一直坚持至今。一个人演一台戏，而且自导自演，让我过足了戏瘾。这是我的挚爱，我乐此不疲。那时候楷叔已经退休了，书桌上仍放着准备录音的讲古稿子。我总是去他那里，两个人讲来讲去都是讲古和表演，楷嫂下厨准备佳肴，其乐融融。

儿时看戏、看电影，听戏曲、听故事是我艺术人生的启蒙；战争逃难带给我身心的历练；电影译制配音磨炼了我的演技和语言艺术能力；拍电影让我体会到导演是融汇各种艺术的“大老总”。感谢时代给我的机遇，感谢经历让我成长，感谢我亲友对我的帮助，我今生无憾了！

六 退休不歇业：在美国讲古、当主播

当时作为知青下乡的二女儿回城后想继续求学，于1983年到美国念大学，1995年在美国结婚生子，她帮我办理了移民美国的手续。谁料不久女婿突然被派去日本做访问学者（女婿是生命科学家），女儿一家人便常住日本了。我移民就是投靠女儿女婿的，我一个人还要去美国吗？我是爱祖国的，我去美国并不是羡慕外国的十里洋场，我只是想，活大半辈子了，有机会到外面看看世界，也未尝不是体验生活的好机会。对我们搞艺术工作的人来说体验生活是很重要的，要是没生活就没戏了，于是我决定一个人去美国，那

个时候我62岁。

刚去美国三藩市，我住过老同学家里，住过广州话剧团朋友的家里，也住过珠影老同事的家里。我第一份工作是帮一个同学做替工，在一家酒楼的老板家里做女佣，除了煮饭、清洁，还要伺候三个读小学的小孩。我少年时有在山村劳动锻炼的经历，后来工作拍片出外景，经常要爬山涉水、日晒雨淋，有过不眠不休的磨炼，所以再怎么辛苦我都能撑下去。我常常陪小孩打羽毛球、玩游戏，还帮他们温习功课。三个小孩很喜欢与我亲近，都很听话。虽然那几个月很累，但是我很开心，我这个保姆做得很成功呀！半年后我的同学回来复工了，我得把工作还给她，三个孩子就哭着求父母："不要让婆婆走啊！不要让婆婆走啊！"他们妈妈也劝我不要走。虽盛情至此，但我怎么能把老同学的工作占掉呢？当时三藩市的星岛电台邀请我去讲故事，还要播出我录制的《清末名妓赛金花》；我必须离开了。一般来讲，人们心目中的演员和导演，是众人瞩目的偶像。我既可以当电影导演，可以担当配音主角，也可以成为受主人尊重的佣人，成为佣主家小孩很喜欢的保姆，我感到很满足，很有成就感。这是我的一段难忘经历，是我在美国体验生活的一大收获。

冼碧莹

辞职之后没多久，一家华人办的美国商业电台邀请我做他们的主播。除了必播的国内外的大事、社会新闻之外，我还给他们加了讲故事、长篇连播的节目，大受听众欢迎。美国的听众就打电话给我说："听你讲故事就像看你演戏一样！"还有的问我："你是不是广州的冼碧莹啊？"——果然有人认识我啊！有次我去茶楼喝茶，经理知道我是冼碧莹，走进去跟伙计一讲，茶楼的全班人马都出来跟我聊天，不论男女老少。有时去买东西，问老板：

“这个多少钱？”就有人问我：“你是不是冼碧莹？听你的声音好像。”如果得知是本人，老板即刻要跟我做朋友，请我喝茶，说：“原来我们住在同一个埠啊。”原来我们都住在Alameda（阿拉米达）。我真的好开心，做自己喜欢的事情的同时能够得到听众的喜欢，真是他乡遇故知，我非常感激这些人。

因为讲故事受欢迎，节目时间从一个小时增加到三个小时，加上电台的广告我也希望改到好像演戏一样，所以需要增加人手。有两位女士自动请缨，我看她俩本身也是搞艺术的，能说会唱，而且是因为中意艺术而非为了生计找上门来。于是我们三人一拍即合，尽情发挥各自的文化艺术才能，把节目越做越好，因此电台的广告越来越多。开始，每一条广告都是称赞商品好，电话是××××，地址在×××街，欢迎惠顾，千篇一律，让人厌烦。有一次帮一家叫作利口福的店家做田螺上市的广告。本来广告是这样子的：“我们叫什么？利口福！我们现在有田螺供应了，我们的田螺很好吃，多少钱，我们的地址在×××街，电话是××××，欢迎惠顾……”我主动提出创作，把广告改编成一小段戏“我要吃田螺”：

有一个小孩子赖床，妈妈叫他，他也不愿起床。

妈妈说：“快起来啊！我们一起去游公园啊。”

孩子不干。

妈妈又说：“陪你去麦当劳啊！”

他也不起。然后是“看电影”，还是不干。

妈妈说：“那你这也不干，那也不干，你要干吗？”

小孩回答：“我要吃田螺。”

妈妈问：“你什么时候吃过田螺啊？你怎么知道田螺好吃啊？”

小孩说：“我昨天跟爷爷吃过，很好吃的。去晚了就没有了。”

妈妈说：“起来吧！起来吧！”

小孩就跳起来很高兴地唱歌。

小孩唱：“我中意去利口福！利口福！”

最后，我们的广播员说利口福在什么街，电话多少。

广告一出来，利口福的生意就兴隆起来。于是另一家田螺店找到我，让我写广告，指明要跟那个广告一样的，但是怎么可能一模一样呢？后来我又有了新主意，我写了一个龙王和他儿女们的故事：

一开始是虾兵蟹将走出来。

虾兵蟹将说："报告大王！公主跑到陆上去啦！"

王子（着急地）说："父王啊，妹妹跑啦！"

过一会儿，公主被押回来。

龙王问："女儿啊，你怎么跑到陆上去啦？"

龙女答："我要吃田螺……"

龙王说："田螺贱物海上也有，何必跑到陆上吃呢？"

龙女说："不是啊，那里才好吃啊！我的朋友跟我说很好吃，我跟他去吃过，果真如此，一定要去那里吃。"

龙王："既然这样，我也要去那里吃。"（命令虾兵蟹将）："摆驾陆上。"

龙王也去那里吃田螺了。

第二条广告之后，我就跟电台说别再找田螺广告啦！后来电台接的广告全都要求加工，我就找到老板理论：人家写纸条要加广告，你收他们钱，他们让我们加工广告，你却不加收他们的钱，这不应该！后来电台按一条广告二十块钱广告费，算是我的创作费。

后来我们三人买了一个时段，另外成立一个电台独家播出。新闻时事以外，以讲故事、演播小说为主，还请来两位男演员客串演播。我们的节目和广告都很受听众欢迎，殡葬业的大客户利福集团也和我们签了长期合约，大量听众惊奇地反映："怎么丧事的广告都那么轻松好笑呀！"我们还为利福集团创作了一出短剧《快乐生活每一天》，讲一个正确面对生死和身后事的老妈妈和儿女们欢聚的一天，集团的美国经理还参加了演出。我们几个在美国能做自己喜欢的工作，充分地发挥了自己的表演艺术和语言艺术能力，在美国华人广播事业上有所建树，深受侨胞的欢迎和赞赏。我很感恩，自己过足瘾了，感谢听众！

差不多两年后，我年纪大了，真正需要停下来休息了，几位中年人也为自己的家庭和事业奔波忙碌，我们便不在电台工作了。电台招来了两位男演员，其中一位是广州话剧团的演员，他比我先到美国生活，当年特意回国把我带去他家住。另一位是原来珠影的演员，他在上海戏剧院进修后去了上海电视台，后来也去了美国。招来的两位女演员和两位男演员现在都成了我的“儿子”“女儿”，我们有一个群叫“冼姨和孩子们”，就是我和他们四人，一家五口。虽然我们不再共事，但是亲如一家，他们待我如师如母，都是我的好孩子。

我喜欢异乡环境的清幽，我也爱故乡的温暖。

我退休出国后，每年都回国探亲访友。不知道是从什么时候开始，电台的小说连播消失了，讲古也没有了。以前电台就像我的老朋友，常常要去见面，现在我告别了中国和美国的电台，好像要跟小说演播和讲古永别了……没想到，故乡有许多古坛老将和有为青年，仍然坚持推广和传承国学和讲古文化，默默耕耘。他们的一腔热情令我深受鼓舞，燃烧起我那将要冷却的心。我还不能休息，我还要和大家一起努力！

最近幸得中央发话，广东广播电视台迅速响应中央的相关要求，把中华传统文化全方位融入思想道德、文化知识、艺术、体育、社会实践等各个环节的教育中，在国外也要讲好中国故事，传播好中国声音，阐释中国特色，展现好中国的形象，要迅速迈出新步伐。这样明确的指示，意味着文化艺术行业要迅速迈出步伐，我更受鼓舞了，人人劲头十足。

祖国大地哺育我成长，是祖国的教育使我成为有教养、有专长的人，今天我已经是八十多岁的老人了，时日无多，更需要珍惜。我用自己仅有的一分精力和一分专业技能，为祖国文化艺术事业的繁荣昌盛奉献一点遗力！所以我每年还要回来，和大家一起讲古。

现在广州不少学校都成立了讲古社团，上次举办了一个老一辈艺术家的讲古论道，我看孩子们听得一愣一愣的，后来我想补一课，希望能让孩子们听得懂。我选了三个完全不同的故事，一个是《红楼梦》中非常有碰撞力的一段；一个是《卖火柴的小女孩》，是外国风格；最后一个讲波斯猫扮医生的故事。我讲这三个故事，一个是古典的，一个是悲剧，一个是喜剧，让小孩听，听完让他们发言，问他们怎么样，肯定有一些说“好听啊！”，光说是好听不行，还要说出怎么个好听法。要引导孩子把心里童真的想法说出来，大家七嘴八舌的，说出来的便是他们能够接收到的，让他们自发地感受。对不全面的，他们没体会到的地方，我再来做一些引导补充。孩子们那么热情，所以要讲适合他们的一些东西。

讲古“话筒姐妹”之缪燕飞

采访者：郑颖、包莉婷、梁永超、黄静仪、陈周起、储冬爱、张舜琪、李雯、詹恬、刘畅

整理者：储冬爱

受访者：缪燕飞，女，1934年出生于上海，祖籍广东梅州

采访时间：2015年5月14日、8月28日，2016年1月9日，2019年4月29日，2020年9月9日

采访地点：缪燕飞家中、白云宾馆、微信（线上）

缪燕飞

文工团出身，做过话剧演员、群众文艺辅导员、电台与电视配音演员，导演。终生以语言艺术为业，被同行尊称为“缪姨”，与冼碧莹并称为“话筒姐妹”，曾获得由听众投票评选的广东“长篇小说十佳演播员”（1987年）。学习斯坦尼斯拉夫斯基表演体系。高中未毕业，自称读的是“社会大学文学系”，视前辈、作者、电台编辑和广大听众为导师，以“缪姨，我是听你的故事长大的”为自己人生的最高奖赏。

一 家庭基因

1934年10月，我出生在上海，祖籍是广东梅州的五华县。我的祖父是一名石匠。五华是山区，以石匠出名。祖父年轻的时候，去了广东增城的新塘开石坊，给人凿石磨、石碑，给祠堂凿石狮。听爸爸说，祖父的石刻技术非

常高超，他曾经为一间祠堂加工一只石鸟笼，把一块完整的麻石掏空，里面还要留一条横挡，上面站一只鸟。他在凿鸟脚的时候，不小心把一只脚凿断了，怎么办呢？他灵机一动，干脆把那断脚凿成缩起来的样子。就是这一机智的修改，使得那一脚站立、一脚蜷缩的鸟更栩栩如生。这事在当地曾轰动一时，可惜我不知道这个石鸟笼安放在哪个祠堂里，否则我一定会去看一看。

祖父坚持供我爸爸读书，从五华县再到梅县读中学——在德国人办的一间教会学校，那里教学生德文。1927年，父亲高中毕业后考上了广州的黄埔军校，因为他学习过德语，所以进了无线电通讯班——无线电在当时是属尖端的学科——学习德国的先进技术。毕业后，他被派到上海，在广东省政府设在上海的电台里工作，后来当上了台长，并与我母亲结婚，所以我是在上海出生的。

我的外祖父是上海的裁缝，我母亲结婚前在上海一所师范学校读书。以前的女孩子一般十七八岁就要嫁人，不然就会被人说是老姑娘。我母亲在她毕业的前一年嫁给了我父亲，后来怀上了我，连毕业试也不能考，所以她在师范学校是没有毕业的。

1937年全面抗战开始，电台随广东省外派的政府机构一同撤离，我们也搬回广州。那时广州已经充满浓浓的抗战气氛，日本飞机常常来轰炸，哪里人口稠密，就往哪里投弹。我父亲被安排搞防空预报工作，广州沦陷前所有的防空预报站都是由我父亲经手安装的。

抗战中有八年时间他都在广东地区搞防空情报和通迅工作。他对收发报机很熟悉，闭上眼睛也可以把整部电台拆开再装回去。因为空袭时要灯火管制，所以父亲学会了在摸黑的情况下操作电台。新中国成立后很多人有收音机了，我们家简直成了收音机的修理店，同事朋友的收音机坏了都送到我们家里来。

我妈妈可能是因为读过师范，对孩子的管教比较严。在抗日战争期间，我没有机会上幼儿园，她就教我读战前的幼儿园课本。我到现在还记得课本全文："牛、羊、草，花、树、鸟，门、窗、灯，火、水、茶，糕、饼、饭，菜、瓜、豆，鱼、肉、狗，猫、鸡、鸭，河、船、桥、路，城乡、风云、风雨，爸爸、妈妈、哥哥、弟弟、姐姐、妹妹。"她还教我背诵岳飞的《满江红》。抗战胜利后回到广州，她不让我看美国歌舞片，说有色情成分，也不让我看香港片，觉得很俗。她喜欢带我到中国戏院（现北京路新大新对面）去看上海拍的如白杨、赵丹、舒绣文、上官云珠、蓝马、魏鹤龄等演出的《一江春水向东流》《乌鸦与麻雀》等主题严肃、制作严谨、演艺水平高的影片。外国片我只看过儿童片《猫和老鼠》《白雪公主》《泰山得子》《泰山大战野人国》和当时很轰动的歌舞片《出水芙蓉》和《红菱艳》。

全家福（1934年）

妈妈也不让我听电台的说书，虽然我们家有收音机。她说讲的内容很低俗。我就只能看《安徒生童话》《伊索寓言》《新儿童》之类的书。

我妈妈本人喜欢演戏。抗战的时候，她参加了街头抗日宣传队演出。舅妈背着我去看她演戏，我看见她被"日本鬼子"打，我就在台下拼命喊"妈妈"。

五年级，我开始学钢琴。可能这就是我的文艺启蒙吧。我家兄弟姐妹都是搞理工科的：大弟弟是钳工，高级技师；二弟是轮机长，海运局的；大妹妹学炼油，南海石油公司高级工程师；小妹在纺织厂工作。只有我一个文科人，爸爸搞无线电，妈妈爱看电影，我后来与广播电视结缘，可能也是有点家庭基因吧。

二 执信女中与话剧启蒙

1947年，我考进了广东省立执信女子中学，是现在的执信中学。执信女中时期对我来说，意义重大，是我人生观形成的关键阶段，从12岁到16岁，我在执信女中学习了4年。学校的校风很好，校规很严，学生住宿两周才能回一次家，还要剪齐耳的短发，每天都要穿校服。学校的生活条件较差，没有自来水，只有井水，在广州生活的孩子大多不会打井水，有时候几个人同时把水桶扔下去，桶绳绕在一起打结了，甩不开，对着井就哭了。夏天还好，到了冬天更苦，没有热水，只能用冷水洗澡，一到洗澡的时候，冲凉房就热闹起来了。冲凉房很长，用木板间隔成一间间小室，我们为了给自己添加御寒的勇气，便一边洗澡一边唱歌，这个房间唱，另一间又跟着唱，整个冲凉房内歌声嘹亮，热闹非常。

我们学校有些进步的老师参加过抗日的宣传工作，经常组织演出、歌舞比赛、活报剧，以此达到团结学生的目的，所以学校的课外文娱活动非常丰富。我们学校全是女生，演话剧时，男角就只能女扮，女生用很多夹子把头发夹起来。我很羡慕高年级的姐姐，能够在舞台上一展英姿。我读初三时已是广州解放后，那时候学校的活动更活跃了。高一那年，学校成立了一个话剧团，我当了副团长，自编自演活报剧，编舞蹈，我甚至将妈妈的结婚礼服都拿到学校做演出服。

高一时，学校排练了一个大型话剧《前进，美国人民》，还到中山纪念堂演出。老师是主要演员，学生演配角和打杂的，我负责到处去借道具，还爬上舞台顶去挂灯，那时的中山纪念堂不像现在，很破旧，棚顶用木头架或竹子搭成，不如钢梁那么结实。但是，不知道为什么我一点都不害怕。我还参加街头演出，扮演过特务，将头发夹上去，戴一顶毡帽盖住，在区庄街头表演的时候，有些街坊指着我的头说：“咦，女孩子来的，女孩子来的！”我们没有一般女孩子那么娇气，如果男女同校就不同了，粗重的事情肯定是男同学做；在女校，什么都得自己做，挂横额、挂标语，爬上爬下，这也就锻炼了我们的胆量、工作能力和独立能力。广州解放后，不少学生参军参干，我们执信的女生很受社会欢迎，这也和学校独立自强的教育分不开。

1951年6月的一天，学校附近的华南文艺工作团派人来我们学校，说要在暑假开办一个戏剧培训班，希望选派两个学生去参加。因为我是学校课余话剧团副团长，就由我去接待人家。那时的我傻乎乎的，刚刚上完体育课，穿着一条红短裤，满身大汗跑到会客室，不假思索地问："你们要不要我啊？"对方问我："你几岁啊？""十六岁。"然后他说："你站起来我看看。"也许他是想看我有多高，以后还会不会长个子。然后笑着说："那好，你明天来团里找某某某吧。"第二天我就和学校话剧团的正团长一起去了，她也是我同年级最要好的同学。当时导演出了一个表演小品来考我们，过后，他说："好吧，你们两个考完试就来吧！"到了7月2日，考完试的第二天，我连家都没有回，就和同伴提着箱子去参加戏剧训练班的学习了。当时学习的内容包括苏联斯坦尼斯拉夫斯基的戏剧理论、形体和发声训练，还排了独幕剧。两个月紧张的学习，让我们受益很大。我们学习后就留在团里，正式参加工作了。当时是供给制，我们吃饭不用花钱，衣服每年发两套，冬装和夏装。另外还发400块生活费，那时是旧币制，400块就相当于改

就读执信女校

币制后的4块钱，够买一些生活必需品。那时生活很简单，学习完拿饭碗去饭堂，给什么吃什么。衣服也就那两套，今天洗完明天穿。

1951年7月，我刚刚念完高中一年级，学生生涯就结束了，开始踏上话剧学习和演艺的道路。

三 华南话剧团：艺术人生的摇篮

加入文工团半年后就赶上全省土改运动高潮，1952年元旦一过，全团人员参加了云浮县的土改队，这段生活让我接触到了贫穷的农村。土改全过程我都参加了，从最初的访贫问苦，扎根串连，到组织斗争，焚烧地契、分田，组织新政权。其中最振奋人心的是烧地主的地契，由人民政府发新的土地证。烧地契的场面最令人激动，在晒谷场上，堆放着从地主家没收来的地契，全村大小都聚集围观，一把火把地契烧着了，火苗越蹿越高，火光照着大家的脸，热烘烘的。农民兴奋极了，有的人一边看着火苗一边流眼泪，尤其是那些老人，泪水顺着脸上深深的皱纹往下流，乐得张大嘴口水不住地滴出来。20世纪70年代末，我讲了一本长篇小说《刘胡兰》，有一段写到了烧地契，写得很简单，就两页纸而已，我觉得这是很重要的一环，应该重点突出地写，于是我就把自己的那一段经历补充到《刘胡兰》里去，丰富了烧地契的内容。这说明当时的生活在我日后的艺术创作中起到了直接的作用。

1953年4月底土改结束，文工团被国家要求整编，向专业化发展，分为华南话剧团（广东话剧院前身）、华南歌舞团（广东歌舞剧院、广州乐团、广东舞蹈学校前身）。我便开始了正规的专业化的演员生活。

1953年华南话剧团建立后，我参加排练的第一个独幕剧叫作《妇女代表》，是个反映农村妇女权益的戏。当时《妇女代表》的剧本在全国很有名，很多省都排这部戏。戏里共有五个角色，其中四个由老演员来演。我有幸第一部戏就和四位老演员同台演出，这对我的学习很有好处。当时排戏强调体验生活，扮演农民就去体验农民的生活，扮演工人就去体验工人的生

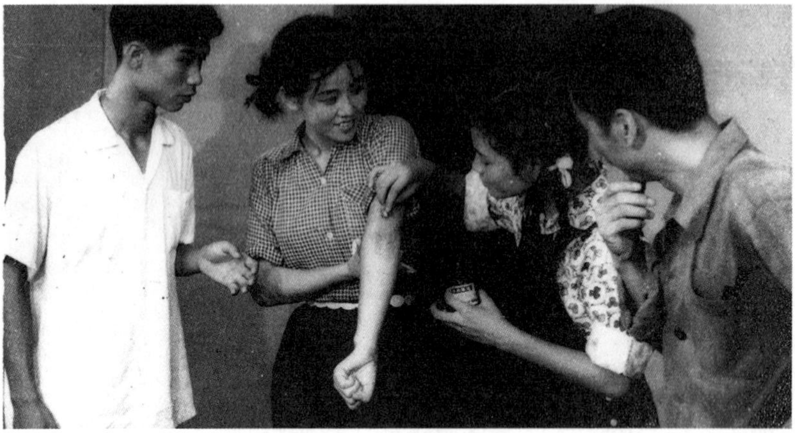

演出剧照《到农村去》（1960年）

活，所以有关于农村、工厂的戏，就去农村、工厂排练。所以我们便到大石村边体验生活边排练。那时大石还是农村，我们就在大石的一个旧祠堂里住下和排练。那旧祠堂也是一所小学，学生正好放暑假，后来开学了，我们便转到三元里继续排练，住在三元古庙里，那时三元里也是农村，很破旧。

排练结束回城的第一次汇报演出，我出了个大洋相。领导对汇报演出很重视，团里、文化局和宣传部领导全都来看，我们这部戏又是重点，更引人注意，所以我很紧张。有一个调度原要我从舞台的右边走出来，一直走到舞台的中间，然后对站在舞台左边的一个角色说一段台词，谁知道我上场走了几步紧张到双腿发抖，差点站不住，我就一直走到左边的桌子旁边，用桌子顶着自己的腿才能站稳把台词说出来。演完之后我心想："完啦完啦，今晚回去一定被导演大骂一顿了。"因为导演很严格，我害怕极了。谁知道到了后台，导演很高兴地拍着我的肩膀说："哎！小缪很好！很好！你的即兴表演很好啊！"我说："哎呀，张导，不是啊，我已经准备挨你骂的了，我是紧张到站不住啊。"我第一次上台竟狼狈到这个样子！后来演出场次多了，我慢慢地适应了。这部戏演出了很长时间，曾在工厂、农村、南方戏院演出。

1953年底，中央领导发展农业生产合作社，我们配合宣传教育，排了一个多幕剧《出路》（剧本是两位广州作家写的）。我在里面扮演一个积极参加合作化的青年团员，戏份比较重。排练的时候我们便到揭阳，因为主角的原型叫汪汉国，他是新中国第一批劳动模范，在广东最早组织农村合作社。我们到他那条村子里体验生活，住在村子的祠堂里，自己带上被子，铺层稻草打地铺。这部戏曾到全省各地巡回演出（除了汕头、梅州）。每到一处，农村干部成群结队来看。当时的交通工具远不像现在这么发达，农民都是走路来看戏的，有的还从很远的山沟里来，晚上看完戏不可能再走回家了，于是他们背着棉被来剧场。我们也是带着背包去演出，睡在舞台上的，男士睡一边，女士睡一边。演出配合了当时的农业合作化运动，很受欢迎。

华南话剧团首次公演（1953年12月）

独幕剧表演（1954—1955年）

《出路》这个剧也在广州的剧场上演，持续了半年多，从冬天演到夏天。我穿的演出服装有短袖单衣，也有棉衣。所以无论冬天、夏天演，我都受罪。1955年元旦，在韶关马坝演出，那几天冷得水都结冰了，剧场是杉树皮盖的，四面透风。当时后台有一个火炉，但是后台管理不让我靠近火炉暖身，她是怕我出台时，一冷一热容易生病，演员一生病就没有人顶替了。有一场我要穿短袖，冷得直打哆嗦。夏天演出我同样受罪，因有一场戏我要穿棉衣，被焐得汗流浃背，那时剧场别说冷气设备，连风扇都没有，可见做演员不是那么舒服的。

后来我又参加普通话剧组演出一部大型话剧《尤里乌斯·伏契克》。伏契克是第二次世界大战时捷克斯洛伐克的一位英雄，后来被德国法西斯处死了。当时这个剧全国各地都演出。我虽是演群众，但有机会在旁边观摩老前辈演戏，我认为那是一个很好的学习机会。后来，我还参与了《桃花扇》《家》《同甘共苦》等普通话剧组的演出。当时演出很少不满座的，观众大多早早就排队订票了。每个戏最少都要演五六十场，星期天还会加日场。大年三十，我们都在南方戏院演出，演完便去逛花市。

1956年，国家提出了语言规范化，要求学习、推广普通话，有人提出“粤语话剧到底应不应该存在”的问题，引起了激烈的讨论。有人认为要取消，有人认为要保留，搞得人心惶惶。当时我想：如果粤语话剧迟早要取消，我的出路在哪里呢？迟改行，不如早改行，趁还年轻，改行容易，如果再过10年，学什么都晚了。当时团里把我分配到粤语团，我拒绝了，团长拍着桌子跟我说：“你敢不服从分配？！”我也拍着桌子跟他说：“我就是不服从。”当时年轻，也不知哪来的胆量。后来，我就想着去戏剧学院读书。1957年初，我离开了话剧团，还有半年可复习文化课。虽然我高中没毕业，但是入学考试有复习提纲，又只考语文、历史、地理，难度不大，关键是专业试能过关。

离开话剧团以后，我被调到广州市对外文化协会。当时有很多外国文艺团体来中国交流演出，例如匈牙利、捷克、印度和东南亚各国等，市对外文化协会负责接待这些外国演出团体。市对外文化协会想培养一个自己的报幕员，不用每次演出都外借，所以就把我调去了。办公地点在爱群大厦，爱群大厦那时是广州最高级的酒店。当时很多同事都已经有家庭，有孩子，只有我没家庭负担，于是我被安排晚上在爱群大厦值班。我很乐意值班，因为有伙食补助，每晚我都可以在餐厅吃得很好，还可以温习功课，准备考试，没人打扰。

不久就考试了，第一项是朗诵。我朗诵的是《卖火柴的小女孩》，这个作品我在话剧团的时候就学习过，对我来说不难。当时的评委之一是我原剧团的团长，我朗诵完了以后，他对我点点头，我从评委们的眼神中也看出他们比较满意。接着考小品表演，也挺顺利。最后只剩下三个人参加文化课笔试。我觉得文化课考得也不错，信心很足。谁知道刚考完试，就开始了反右派斗争，要回原单位参加运动，大学梦从此破碎，我的人生便与大学无缘了。

说来也因祸得福。如果当时我去读书，毕业再回话剧团，不久便会赶上“文革”，接着便是话剧的不景气时期，估计在表演上我也不会有太多实践机会。世上的事就是那么奇妙，祸福相依。

四　“五七”干校和群艺馆的历练

1966年“文革”开始了，外国演出团体的接待任务全停止了，我调到市演出公司。市内所有剧团的演出也停止了，电影院的影片只有《地道战》《地雷战》《南征北战》（群众叫“三战”），加上样板戏，还有大型歌舞剧《东方红》的纪录片，来来去去就是这些。到1968年，电影院也都关门了，广州所有的文化单位都离开市区集中搞运动，叫“清理阶级队伍”。广州市文化系统的干部全部集中在广州郊区的九佛公社，在那里办了一所“五七”干校，一边搞运动，一边下田生产。那时公社农民干活称“计工分”（相当于工资），犁田是最重的劳动也是最高工分的劳动——每天可以拿到十几工分，都是些身强力壮的男人去做，妇女们一般去做摘菜、淋菜的活，但只能拿到五六个工分。当时提出以后要让我长期留在干校，我想挣到钱养儿子养家，所以决心去学犁田。我当时只有八十几斤，经常在水田里来来回回拉着几百斤的牛和几十斤的犁耙，多费劲啊！有一次那牛不听我使唤，我竟然整个人被它拉倒和拖着走，滚了一身的泥浆。幸亏在旁边劳动的男同志看见了，赶紧过来拉住那头牛，我才狼狈地从田里爬起来。我甚至还学过开手扶拖拉机，但有一次差一点冲下田基旁的水坑里去。

当时很艰苦，但我还是要坚持学下去。

在“五七”干校学犁田（1969年）

我在集体劳动之外，还和三四个同志一起搞田头宣传，编快板，把民歌填上新词演唱，鼓舞士气，另外我还负责干校的广播站。干校范围很大，连队也分散，所有市属的文化单位都在那里。我每天早上6点一定要起床，6点15分就要到广播站，播起床号。中午大家吃饭的时候，我又要去播稿子：各连队的生产进度怎么样了，有什么好人好事。我打开广播，读两条报道，扒两口饭，没有安安定定地坐着吃过一顿饭。

傍晚收工之后，洗完澡，晚上6—8点正是休息的时间，我又要到广播站，因那时候不是人人都能看到报纸，我便为大家读报，包括新闻、好人好事之类。我记得对大庆油田王铁人的报道，是一张报纸两版的报告文学，很感人。我全情投入地对着报纸念，还有对焦裕禄的长篇报道我也直接念了，拿出在电台录音的劲头，内心既兴奋又激动。晚上9点半，该睡觉了，我又要播“熄灯号”。同志们开玩笑叫我台长，说我是台长、技术员兼播音员，什么都包下了。我觉得这是一种很好的享受。我在“文革”开始后就没有机会接触话筒，那时每天能有机会坐在麦克风前开口说话，觉得很开心。

1972年初我调回了广州，分配到员村工人文化宫，负责组织员村地区工厂的毛泽东思想文艺宣传队，帮他们排演节目，并协调邀请其他宣传队来员村演出，也很开心。这帮队员，当时都还是十来二十岁的小青年，如今五十年过去了，大家还有联系，不少人参加各个系统的老人演出队——有些老人演出团体水平相当高，大多是那时候参加宣传队蹦蹦跳跳练就的。

1973年之后员村工人文化宫归市总工会管理，我调到了市群众艺术馆。

市群众艺术馆的任务是组织和培训辅导全市群众开展业余文化活动。市群众艺术馆分音乐组、戏剧组、舞蹈组、美术组，我在戏剧组，这就和我喜欢的讲故事、朗诵联系了起来。我经常出去讲课，到中小学、教师进修学校、少年宫，也到工厂排演节目和办培训班。当时广州市下辖增城、番禺、从化、新丰、花都、龙门六个县，那些地方我也要去。我组织了一个业余的故事相声组，只有九个人，排了一台故事相声节目，以轻骑队形式经常到市内工厂、学校、广场演出，还到珠三角一带演出，很受欢迎，演出的水平也不断提高。后来这九个人中有三个成为省曲艺团专业相声演员，三个成为专业配音演员，一个成为电台文学编辑。

我没进过正规演艺院校学习，虽然工作多年，但缺乏系统的理论归纳。为了把课讲得有条理、从实践提升到理论，我借了戏剧学院的教材回来自学，当时没有复印机，我只能把教材的重点全部抄下来，每天都弄到凌晨一两点，饿了喝两口水，有时候整个人有一种被抽空的感觉，好像被人拿一个气泵从头顶把我的精气抽走了那样。我经常都是眼圈黑黑的，人也瘦了一圈。当时自己确实是下了苦功的。只有从感性的认识提升到理论的高度，再用于指导实践，才能说服别人，这是一个很艰难的跨越。当时家务比较重，生活也不方便，买猪肉要凭票，还要排队，又没有冰箱。在我居住的宿舍里，每天我家是最早开灯的，清晨6点钟附近的东川市场开门，我一定要在开门时第一个进去，这样就不用排队，可以节省时间尽快把饭菜煮好，把煤炉口封住，饭菜在炉子上保温，儿子放学回来就可以吃午饭了；没有洗衣机，晚上全家人换下的衣服一大盆，全凭我手洗，之后我才能去做自己的工作，备课、备稿、学习，从凌晨5点多到深夜，我都处于高度紧张的状态。有次一位记者到家里采访我，她开玩笑地问我刚上小学的女儿：“妈妈每天在家里做了什么？”女儿不假思索地回答：“妈妈是快镜头。”（形容动作很快）这句话被写进文章并见报了。

五 走进录音间，爱上讲古

播讲《雷锋的故事》（1973年）

1953年话剧团的《妇女代表》上演后，观众反应比较好，电台就让我们去录音，那是我第一次进录音间。我录完这部戏之后，电台的文艺编辑来找我录一些短小的儿童故事，从此我和电台接上线了。开始录的是比较短小的作品，渐渐地变得复杂些，稿件也越来越多。两年后，几乎天天都有我的节目，有时一天好几个，提包里每天都有待录的稿子。这样一直持续到1966年，录制的作品以短篇小说、儿童故事、诗歌、散文、广播剧为主，大多是名家名作。那时，每天有几个播出的节目，我最喜欢的是每个礼拜六的《文学广播杂志》，有不少喜爱文学的社会青年和中文系大学生收听。有一学生曾经对我说："我每个礼拜都收听！因此喜欢上了文学而读中文系。"每天下午5点的固定时段，播出适合儿童听的故事，很多小孩一放学便跑回家打开收音机，饭也忘了吃，有时一边吃饭一边听。到现在仍有不少老听众对我说："缪姨，我嗰阵係用古仔送饭噶（我那时是用故事下饭的）。"古仔在农村更受欢迎，那时农村都有广播站，大喇叭挂在村头榕树上，孩子们一放学便跑去占位置，听古仔是他们一天最快乐的时光。这种热闹的情景到1966年6月便消失了，电台禁播所有文学节目，转成了播"八大样板戏"、社论、新闻。1973年，值毛泽东发表"向雷锋同志学习"题词十周年纪念，为了配合宣传，电台让我录制《雷锋日记》，文学节目的播出就从此开禁。我录完《雷锋日记》接着录《雷锋的故事》。那时不少学校也请我到校内讲演。

不久，我录了第一部长篇小说《海岛女民兵》，在约六年的禁锢后，听众第一次听到长篇小说连播，感到很新鲜，反响很大。那时市内的商店规模都不大，每家柜台上都有一台小小的半导体收音机，到节目连播时，各店几乎同时开机收听，若从街上走过，一家商店听上句，下一家店听下句，走完一条街也可以听到完整的一段。有的听众感觉不尽兴，还去书店把原著小说买来对着听，不久后，书竟然断销了。有一次省话剧团到南澳岛演出，有位演员回来后跟我说，傍晚5点钟的时候渔船靠岸，无论煮饭还是休息的渔民，在每条船头都开着收音机，整个渔港都在收听《海岛女民兵》。我想，有这么可爱的听众就算嗓子讲哑了也是值得的，这是我一生最大的收获。

在学习朗诵的过程中，有个经历让我终生难忘。1954年，话剧团开展业务学习，年轻演员每人准备一篇文学作品朗诵，老演员在台下听，然后提意见。我用普通话朗诵《卖火柴的小女孩》。表演完，一位演员跟我说：“小缪，我一点都不觉得冷啊。”当时我的心打了个颤，这个故事的核心是“冷”和“饿”，如果听者感受不到这两样东西，那不就是说我很失败吗？我明明很用心练习了呀，我的声音也不算差，普通话也准，过了几天，我悟到了，我练习的时候多数在晚上，吃完夜宵肚子饱饱的，靠坐在床上，用被子盖半身，床边放一杯热茶，这样读：“天冷极了，正下着雪……”只想到咬字的准确、声音的美感，忽视了小女孩“冷”和“饿”的感觉，这样怎么可能让听的人感同身受呢？剧团的日程安排一般是下午4点吃晚饭，5点开车进剧场，晚上11点左右演出回来再吃夜宵。有一天，我决定下午不吃饭，晚上也不吃夜宵，刚好赶上冷空气，待大家都睡了，我穿着夏天的睡衣。单薄的睡裤，跑到操场的篮球架下面。哇！当时我冷得直发抖，肚子饿得咕咕作响。在饥寒交迫的情景下我再读：“天冷极了……”哦，那时我才明白那个“冷”字是从心底颤抖着出来的，不是那么优美的。我悟出一个道理：你要让听的人有感觉，首先你自己要有感觉。这次“苦肉计”让我开了窍，但我不可能天天都站在篮球架下面读呀，我必须学会用想象的魔力把自己放进规定情境中去，用真情实感吐出每一个字，说出每一句话。

后来我到很多地方讲课，都会提起这次经历。声音好听固然重要，但不能解决所有问题。音质是一个因素，但最关键的还是感觉，我一直强调。跟演戏一样，仅仅长得很漂亮，不一定能够成为好演员，有的演员不一定长得很好看，但是她深入角色，演出了真情，就会受到观众的肯定。

20世纪50年代初，电台还在广州沙面的一幢英式旧建筑里，是国民党统治时期留下来的电台原址，录音间不算很大，也就三四十平方米。1958年后电台搬到了人民北路专为电台盖的大楼。前几年又重新盖了更现代化的新楼，录音室有大有小，分单人和多人使用。在人民北路，我用的录音室就八十平方米，前壁有一个横着的大玻璃窗，两层玻璃，中间真空，可以隔音。外面是录音操作室，录音师在操作机器，文学编辑负责监听，有不当之处即时提出意见。录完以后重听检查一遍，若有错漏及时修改。录音室有盏吸顶灯，一张桌子，桌上一座绿色灯罩的台灯，一把椅子，就这么简单。我有个习惯，进入录音室后，为了全情进入作品描绘的世界，便关掉头顶上方的顶灯，只用台灯。在柔和的灯光下，仿佛整个世界只有自己，真是一种非常美妙的享受，录到深夜，也不会觉得累。录完之后，听一遍，觉得有哪些地方不当的，即时改正。

其实，演播更多的功夫是在录音室之外。通常，我拿到一篇稿子，先找一个安静的环境一口气把稿子读完（长篇除外）。这第一次阅读很重要，印象最深刻，很容易被吸引、被感动，以感性认识为主，反复看时，理性分析的成分增加，所以一定要抓住第一次阅读时最深刻最打动我的地方。之后，反复阅读，检验初读的感受是否准确。因为第一次感觉往往受到本人的好恶、经历和当下情感的影响，未必符合作品表达的深层含意，就像你见到一个陌生人，第一次见面印象很深，但往往不全面，所谓日久见人心嘛。反复细读时，感性和理性认识交替进行，这就是对作品细嚼慢咽的过程。然后开口试讲，慢慢进入作品的规定情境，揣摩声音的表达技巧。

备稿需要反复推敲、感受、品味，我称之为孕育，就像母亲十月怀胎一样。把作品放进心中，一有空就思考，去感觉，让作品的情景、人物在心中活起来，从模糊到清晰，从不完整到完整，逐渐形成可激发情感的画面。我坐公交车经常错过站，走路时想得入神，碰到熟人也忘记打招呼，被误解为高傲不理人。其实啊，我的心那时生活在另一个文学世界里。

从20世纪50—90年代，我在省电台录的作品体裁较多，有长短篇小说、童话、故事、寓言、散文、诗歌、报告文学、杂文、广播剧、广播小说、电影故事、古诗词等。

文学作品反映千姿百态的社会生活和人物的思想感情，平时我很注意观察各种人的情感动态作为生活积累，以用于演播时的创作。如有时在屋里听到外面有人吵架，会跑出去看热闹，看别人吵架时的神态，怎么会吵起来的？（我不会吵架）。有时开会或在公交车上我也会盯着某人，从他外在动作、神态揣摩那个人的内心活动。朋友相聚，大家谈得火热，我喜欢坐在旁边静静观察倾听。这些活生生的语言、表情动作都装进了我的记忆仓库里，在演播需要时可以随时调动，就像口袋里有钱去到百货商场才可以要什么买什么。除了直接的生活体验之外，平时多看书，多看戏，听人谈天说地，间接取得更多样丰富的生活体验。

用广州话讲演，里面有把书面文字转换为粤语口语的问题，这是很重要的。无论是两三百字的短篇还是几十万字的长篇，我都要用粤语的口语重写一遍，这是对作品进一步消化的过程，不是简单的方言改写——好比“的”改成“嘅”，“是”改成“喺”——而是要换成我内心对作品感受后的话语。对不同体裁、作者、文风的作品处理有所不同。故事要尽量口语化，通俗，生动。对长篇要像花匠修理盆栽一样，要细心思考哪些情节要详细叙述，哪些可以一带而过，甚至直接剪去，哪些又要添加。《野火春风斗古城》有一段写姐姐金环被日军抓去审问，她举起花瓶怒砸日本军官。这一段在电影中很能表达金环的英雄气概，而小说对这段写得比较简单，我觉得很可惜，所以在写口语稿时，我凭着对电影宣传海报中金环高举花瓶的感人画面的记忆，增加了描述金环临危不惧的细节。考虑到听众的接受程度，对有些和主线关系不大或过于复杂的情节，我会索性删去，如《野火春风斗古城》中反派角色有日军、国民党的正规军、伪军、特务组织，大多是男性人物，凭我一个人的女声来表现有点困难，所以我对情节、人物做了一些删减，有些对话改成叙述，使故事脉络更清晰，让听众听得明白。在词语上适当选用生动的成语、歇后语、俗语。

诗歌、散文特别是名家经典，口语化时不能做太大的删改，如朱自清、巴金的散文，字字珠玑，一定要保留作家的文采和特色，用词不用过于追求通俗，听来顺耳、符合粤语表达就行。诗歌还有个押韵的问题，不能不改，也不能全改，要认真斟酌，是最费心思的。

20世纪60年代，我讲过一部描写越南抗美英雄阮文追的小说《像他那样生活》，书中有一句对话，是他在狱中对妻子说的："不，我们一定要活下去！"这句话可把我难倒了，用广州话说："唔得，我地唔死！"这肯定不行，怎么说都难以表达这句话的力度。我请教了很多同事、电台编辑、剧团的老演员、导演，都得不到满意的回答。无奈之下，我只好转换成粤语："几艰难都要坚持斗争落去！"这个力度和感情色彩比作品的原话差远了。几十年过去了，今天我还是没找到贴切的词语。那时，为了一句口语、一个词，昼思夜想，深更半夜或梦里想到什么，第一时间爬起来记下，生怕忘掉，我曾试过在梦里想到一个好词，高兴得醒了。

演话剧是一个人演一个人物，且有灯光、布景、服装、化妆等配合，而演播则是一个人讲一台戏，所有场景、男女老少、甲乙丙丁各种人物全靠一张嘴，所以对语言的表达要求更高更细，特别是声音的可塑性，要求通过声音的高低强弱，快慢松紧，刚柔粗细，虚实明暗等不同处理和真假声的变换等来表达千姿百态的人物和情景。比如讲一个老太婆和小孩的对话，瞬间完成从低沉的老声到娇嫩的童声的转换，对音色、气息节奏、感情等表达都是个考验。男女声互换，必然有生理上的局限，只能抓住男女声不同的特色去区分：男声较低，力度较强，女声较高，相对柔和；但也不是千篇一律的，一千个男人或女人有一千个声音特色，不同的情感下更是千变万化，需要对声音进行"化妆"，求神似而不可能完全形似，神似重于形似。童话故事里有很多动物、植物的对话，只能求神似了。有一次我到师范学校讲课，有位同学突然问我：“听说你会讲狗话、猫话，怎么讲的？教教我们吧！”这一问把我弄糊涂了：“天啊，我怎么会讲猫话狗话呢？”再一想，可能是他们听多了我讲的童话故事，他们接受了，认为猫和狗就应该是那样子讲话的吧。这是声音的拟人化问题，先想想猫喵喵、狗汪汪的叫声，按照它们发声的口型、共鸣位置和音色来讲话，自然会有猫叫和狗吠的感觉。植物也一样，木棉树粗壮挺拔，要听出它高大的形象，声音应厚重坚实；牵牛花柔软细小，声音便要娇嫩软柔。声音的化装造型总是要受生理条件限制的，不可能女人完全讲出男人声，神似重于形似，点到即止、过于矫扭造作，听众反而感到难受。

我是次高音，音域比较广，可塑性比较强。发声共鸣位置的不同，就可以塑造出各种不同的音色。当然，这里面有技巧性的因素，更重要的还是对人物的把握。在几十年的演播经历中，令我最震撼的是1976年录播悼念周总理的诗歌。那时，人人都为党和国家的前途命运担忧，心中都像压着一块巨石。真正是“愤怒出诗人”，当时全社会掀起一股诗歌创作和朗诵的高潮，在广州，一些学校、烈士陵园、街头，多处聚集着群众，拉着“周总理，我们想念您”的横幅，声泪俱下地激情朗诵，悲愤忧虑的思绪笼罩着每一个人的心。其间我录播了纪录片《十里长街送总理》的解说词。诗文写得揪心揪肺，字字血、句句泪，诗的内容和我的内心、当时的社会氛围高度吻合，是我所读过的诗文中最震撼和朗读感情投入最深的一篇。我由于悲痛过度，中间不得不停下来喘气。接着还录了《一月的哀思》《周总理办公室的灯光》《周总理，你在哪里》等，这个阶段录制的节目，感情最真实、最丰富，永生不能忘。

那时期我还录制了报告文学《王铁人》和《焦裕禄》，这不是虚构的小说，而是纪实性的报告文学，篇幅也很长。当时大庆油田王进喜和兰考书记焦裕禄都是光辉四射的人物，代表了时代精神，每个中国人都深为他们的事迹所感动。这两篇报告文学作品写得非常感人，演播时我带着极大的热情和崇敬之心去赞颂他们，自己的心灵也受到深刻的洗涤。如果演播人不投入，不动真情，那听众是很难听下去，占报纸整整两大版面的长篇报告文学，更难取得共鸣。1977年打倒“四人帮”不久，报纸上发表了一篇短篇小说《伤痕》，描述了“文革”造成的社会悲剧和对人性的摧残，在社会引起很大反响。那个阶段我录播了《伤痕》和同类型的多篇作品，因为对文中的社会悲剧感同身受，所以非常投入。前不久，有位老听众还对我提及此事，他还清晰地记得当时含泪收听的情景。

广播剧也是很受听众欢迎。这种形式接近戏剧结构，有众多人物、多个场景，有音乐效果，录制时一人扮演一个角色，场景切换与人物活动由解说串起来，给人一气呵成的完整感，令听众身临其境。在电台，有一个业余团队经常合作录制广播剧。我除了扮演角色外，常常担任解说，解说确实不好说呀，有时是客观的情景叙述，有时又要进入情境，把一个个分散的情景串成完整的戏剧，就像串珍珠链的那条绳子，把一堆零散的珍珠串成一条完整的饰品；对演员的情绪起到承前启后的作用，并引导听众的感情进入情景。我们录制的连续广播剧《百日维新》和大型广播剧《李自成闯石门寨》气势很强，都是男性角色，我是唯一的女声解说，尽量用宽厚坚实的语气，使之与全剧基调统一，相当费力。

在那么多不同体裁的演播作品中，我认为难度最大的是鲁迅的杂文，比如《记念刘和珍君》。鲁迅文笔像匕首一样尖锐有力，感情坚毅浓烈。我使出了浑身解数，琢磨咬字的力度和语气的强度，不敢有丝毫怠慢。

我的节假日大多在录音室度过，因为喜欢，也因为有一帮志同道合的发烧友，几十年来大家都是这样坚持的。有几年我在中山纪念堂后面的清泉路上的市群众艺术馆工作，那里离电台后门很近，下了班就直接到解放路的泰山食品店买两毛五一块的咸面包，然后从盘福路的电台后门进电台录音。有人以为我一定赚了不少稿费，实际是怎样的呢？20世纪50年代到“文革”前，录一个短篇的稿费是一块到三块左右，包括车费、午餐费在内。“文革”期间一分钱稿费都没有，偶尔被送个笔记本，或年尾参加茶话会。80

年代稿费也很低，半小时一篇十元左右，我从来没有把钱放在心上，只要喜欢，便不怕任何辛劳。到了20世纪90年代稿费较高，但我已逐渐退出。

几十年来，我一直对演播艺术是全情投入。有一次，我录完音已到深夜，到托管女儿的阿姨家抱女儿回家，上楼梯的时候，可能是录音时间太久致劳累，我突然觉得浑身没了力气，双手一松，女儿掉到楼梯上，幸亏我用双腿死死挡住，女儿才没有滚下去，但她被吓得哇哇大哭。我赶紧搂起她，泪水止不住地往下掉。现在想起来，仍感到后怕，对不起女儿。

六　广东电视台粤语配音第一人

我第一次接触配音是在1963年，当时珠影要把国语版的电影《青年鲁班》配成粤语在两广地区发行，此片是以青年木工李瑞环为原型创作的，我被借去为女主角配音。导演和其他人员都是珠影的。我在此学到了配音工作的全过程，为以后在电视台配音打下了基础。

讨论剧本，讨论人物，反复看片，分析每场戏，对词，分段对口型，等等，共用了二十天。对我来说最大的困难是对口型，死死盯着银幕上演员的嘴，但总慢半拍，导演启发我要紧贴人物的内心情感和节奏，慢慢我学会了怎么跟戏走，情到口开，既自然又准确。

不久，电影《雷锋》上映，被省里定为重点宣传的影片，工厂、学校、各单位都要组织去看，但影片是普通话版，农村的观众听不懂，主持广东工作的陶铸提出要农村放映队立刻配粤语。电影公司要我尝试用土办法，由两男一女三个演员，在放映现场同步配音，一个人兼多个角色，片中的音乐效果有对话时关掉，没对话时放出来。这事由我负全责，选了两位语言表达能力较好的男职工配男角色，女角色和小孩角色我一个人全包；还要进行演员培训，控制音效的开关，等于要背下全剧所有的有声部分。在现场推广会上有不少观众对我如何准确控制音效开关很感兴趣，说：“我不是看戏，是看你的手如何操作。”

后来，市区有些工厂包场给工人看电影，也要求配粤语。

当时市区内指定两间影院开设粤语配音专场，我便为《霓虹灯下的哨兵》《苦菜花》《纺织姑娘》等多部影片配音。我们通过放映间墙上开的小窗看大屏幕，现场同步配音。一部影片一个多小时，要一口气连下来，除了对影片要熟悉外，还要精神高度集中，一场戏下来紧张得汗流浃背，手脚冰凉。但这种落后原始的配音方法，正好锻炼了我配音的基本功。20世纪70年代电影公司又用土办法，在电影拷贝的一边涂上磁粉，把声音录上去，那时的录音技术很落后，必须一盒胶带连着录（约半个小时），中间不能出错，不然要从头再录。这给演员带来很大压力。这期间我录了《海霞》《创业》《喜临门》《天云山传奇》《雁归来》等多部电影，其中《喜临门》获中央电影局少数民族语片金奖。

1980年后，中央电视台和广东台开始进口电视剧，如何把外国语的电视剧配成汉语又是个问题。当时北京、上海的电视台已经完成多部普通话版外国作品，像日本的《姿三四郎》、巴西的《贵族之家》、墨西哥的《诽谤》、美国的《鹰冠庄园》等。广州则需要对作品配音再转换一次，配成粤语播出。当时香港粤语电视剧流行，广东各地民众架鱼骨天线[①]收看，有关部门提出要与香港电视争观众。所以台里决定成立专业的粤语配音组。因为我从20世纪60年代起多次到电视台客串播出文艺节目，加上有电台录音和电影公司为电影配音的经历，所以被广东电视台调来筹建配音组。

我1980年10月4号就到电视台报到。初时只有我一个人，我从来没有接触过电视配音，一切从零开始。来了以后，总编室主任指着一张桌子对我说："这张桌子是你的，你要边生产，边筹建。"我一听即时懵了，两手空空如何生产？定神一想："有了！"幸好我在电台录音时间长，有一帮发烧友，还有艺术馆故事组的老伙计，他们都有语言基础。电影公司土法配音培养的一班人也可以做班底。

①按收电视信号的天线，由于形状像鱼骨头，又称鱼骨天线。

在省电视台导演电视剧配音（1982年）

1980年10月底，我们以本台自拍的小品《十万火急》为开台戏，用400平方米的演播厅做临时配音室，演员不够就去市内专业话剧团借用，台里也积极调人，很快有了五个人的固定编制，配了几部本台自拍的单本剧和中央台的单本剧。1982年我们配音的第一部电视连续剧是中央台首拍的《敌营十八年》。1983年接着配了三十多集的日本连续剧《姿三四郎》，场面很大，人物众多，光有名有姓的就有八十多人，当时我们几乎将市内所有专业的、业余的，能请的人都请来，大家都是新手，边配音边摸索。没有音效，还要现场做，为了配日本人穿木屐走石板路的声音，我们买来木屐，两手两脚各穿一只，“四脚”爬在地上踏步，制造出杂乱的脚步声；为了配合拳击动作，演员穿着人造革的夹克，拍打自己的胸脯，发出“嘭嘭嘭”的声音，几场戏下来，演员的胸脯都被捶红了。我们还收集太平洋影音公司废弃的录音带，一团揉搓可以发出类似下雨的沙沙声。录音室堆放各种可以发出声音的杂物，工作虽然辛苦，但大家热情很高，不计报酬，几乎天天加班。当时电话并不普及，通知演员只能靠单位传达室和街道的传呼电话，又没有专职的场务人员，全靠自觉主动。《姿三四郎》播出后大受欢迎，每逢播出的晚上，街上都安静很多，有电视机的人家挤满了朋友。看香港电视的鱼骨天线渐渐就少了。

配音还闹出过笑话。有次配一部古装剧，对应的场面是一个士兵跑步进来后对将军单膝下跪：“报！1234567。”那1—7的数字代表啥？我们全懵了，反复研究和询问后才发现，那个士兵是剧组的司机，临时拉来顶场，原台词是：“报！敌人前锋到后山。”可是司机多次都讲不清楚，为免浪费时间导演叫他数数字1—7，留下七个口型，让我们配音时补上台词。还有一次，给《三家巷》配音，一位很有经验的话剧老演员演何老爷，他的台词很生动，也喜欢临场发挥，可正式配音时他忘记了自己即兴说的是什么，花了很多功夫才对上。那位老演员感慨地说："以后拍戏再不爆肚了！（即临时发挥改台词）"

配音实际是戏剧的四度创作，一度创作是作家写出剧本，二度创作是把剧本拍成戏，三度创作是给戏配上台词，四度创作是改变语种，不是工匠式地对口型，必须深入了解原片的主题、情节、人物的特性，还原原剧。一部连续剧的配音花好多天时间，不能昨天一个调，今天一个调，若和昨天的情绪、语气、声调接不上，连起来便不像是同一个人物，所以导演要心中有数，通盘考虑，帮助演员抓准角色性格、情感。我当时是组长，负责筹建，又兼导演，要提前看片，录后检查，给演员讲戏，有时还要兼做演员。

虽然组里的骨干都从事过电台文学节目的演播或者电影公司的土法（老式）配音，有的还参加过业余话剧演出，但这些与电视台配音毕竟不尽相同。我们研究了电影和电视的区别：电影是买了票要专程到固定的影院集体观看，有一定制约性，非急事不会中途退场；而电视是在家中观看，甚至一个人可以一边做家务一边看，非常自由，不稳定，感到不合口味便会马上换台或关机，而且观看电视的环境比影院窄小多了，所以电视配音的声调不宜太高，音量不宜太大，电视配音感情要细腻真切，更生活化，让观众有切身感受，才能让他安坐电视机前。开始我们主要注意力放在跟口型上，后来从实践中，我们慢慢体会到：口型的闭合是受内在情感变化和内心节奏支配的，如果能进入人物的内心，跟上其情感节奏，口型肯定能对准。从专业话剧团请来的演员，他们在对人物性格和情感的掌握方面比我们有经验和准确，但他们习惯了舞台表演有较大的发挥余地——舞台调度、人物之间的交流、形体动作等可以帮助感情发挥；而电视配音只有一个话筒固定在前面的桌子上，配音演员必须对准话筒，头不能左右摇动，这对他们是极大的限制。20世纪80年代初，我们配单本剧《崂山道士》，请了林兆明老师来配道士一角，他气质和音色各方面都非常合适，但他最不习惯的是身体不能动。他在话剧舞台上表演挥洒自如，台词由内心感受而出，生动真切，但电视配音要受画面种种限制，他感到很被动，短短几十分钟的戏，弄得他满头大汗，气喘气急，他说：“配音的要求，我无法适应，以后别请我了。”

20世纪80年代初，台里拍了一部单本剧，是描写广州解放前夕，广州东亚酒店升起第一面国旗的故事。由市话剧团演员彭白演酒店总管，有个场景是他在办公室听到远处传来一声炮响，惊慌地钻进桌底下。在配音时由彭白配总管，可在“轰”地一声炮响后，我在录音监控室发现彭白不见了，站起来从隔音窗往里一看，原来他像画面上的表演那样，钻到桌底去了。有的演员习惯讲话时转身或转头看着对方，以便情感交流，这在配音中是不允许的。交流本是表演中应有的感情表达手段，但在配音中交流方式有特殊性，配音演员的双眼要注视着屏幕中的人物，把自己的感情贯注到戏剧人物中，

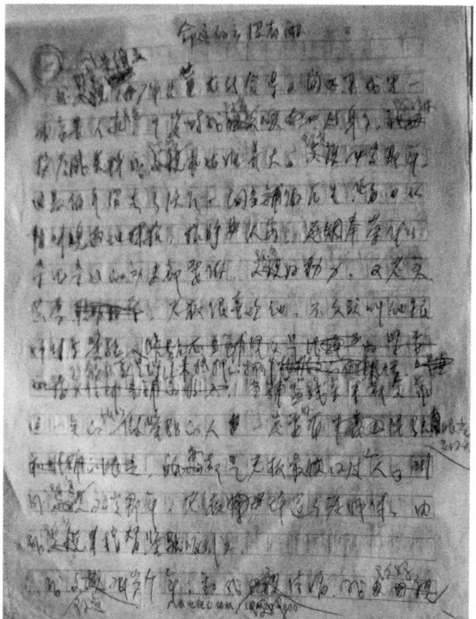

改写《命运的云没有雨》手稿

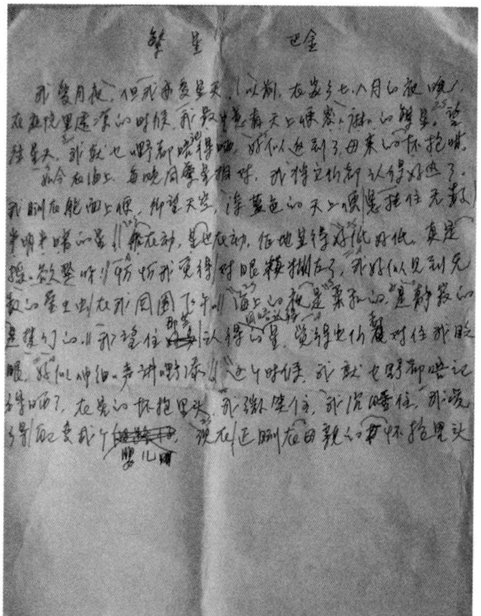

繁星　巴金

改写巴金散文《繁星》手稿

通过想象与屏幕中的对手人物交流。20世纪80年代，我们配台里自拍的《李白》，有一场戏：安禄山风尘仆仆来到宫里见杨贵妃，安禄山与杨贵妃在感情上早有暗中往来，安禄山一见杨贵妃就激动地冲上前去，拉着她的手，口中说着："儿向母后请安！"双目却在暗中传情，双手互相揉摸。这时安禄山的配音演员凌广鸿自己的左右手也紧紧相握揉摸，产生暗中传情感觉，这是一种自我交流的形式。

配音的关键其实不是"音"，而是"情"，就是如何用声音去表达感情，塑造人物，所以要有表演和台词的基本功，这是我们最缺乏的。当时广州业余大学开设了话剧专业，我便极力鼓励大家去学习进修，有好几位都坚持到毕业，成为组里的业务骨干。

后来台里的珠江频道全部用粤语播出，对电视剧配音要求更多，也缺乏综艺节目主持人。于是，台里决定举办主持人和配音演员培训班，广告一出，反响很大，报名的有二千多人，经反复筛选，收了十来个配音学员、十来个主持人学员，加起来三十人左右。学员集中上基础课，分开上专业课，培训班前后共办了三期。我负责上全体学员的台词基础课和配音学员的专业课。1986年，配音组从最初的五人发展到三十多人，分三个剧组，新成员由冼碧莹带领实习，进步很快，有的不久便担当主要角色。全组人员热情都很高，我在组里提出：大家心往一处想，劲往一处使，拧成一股绳。配音组工作虽忙，但干得很欢。同事亲密无间，我们自称是志同道合的"道友"。我是1990年退休，返聘了两年。到今天，这批人大多已经退休，未退休的成了组里的支柱，同事间的关系还是非常密切，不但有网群，还经常聚会，相互关心。我是其中年纪最长的，我视他们为弟妹儿女，他们对我也视如亲人，几十年都维持这么亲密的关系，受到不少人的赞赏，我也感到人生的幸运。

人生最大的幸福莫过于能做自己喜欢同时又能为社会所认同的事业。与前辈相比，八十多年来我没做过什么轰轰烈烈的事，也谈不上有什么成就，只能说尽力而已。一句"缪姨，我是听你的故事长大的"是对我最高的褒奖。1987年由听众投票选出"广东长篇小说十佳演播员"，我名列其中，自己是受之有愧的。我读书不多，中学都没毕业，读的是"社会大学文学系"，主要是通过广泛阅读和演播文学作品来提高自己的文化水平，行内前辈、文章作者、广大听众、电台编辑都是我的导师，我永生感谢他们。

七 关于粤语、朗诵、讲古的一些认识

我从20世纪50年代初起对语言艺术便有了浓厚的兴趣。在剧团的时候，团里多次请朗诵专家来示范表演，让我深深感受到艺术语言巨大的魅力。在市群众艺术馆工作的八年间，到基层讲授语言艺术课成了我工作中很重要的一个部分。

20世纪70年代期间，我先后到省内湛江、中山、肇庆，佛山的顺德、南海，清远的佛冈，惠州的龙门，还有广州增城、番禺等地，给语文老师讲授语言艺术教育。有次在湛江讲课，以童话《卖火柴的小女孩》为范文。课后有老师问我一个问题，"关于朗诵和朗读的区别"。我一时答不上来，坦然承认自己对这两者的区别缺乏研究，提出给我一年时间，我再回来答复大

在新丰县举办的故事培训班人员合影（1976年，前排右八为缪燕飞）

到湛江讲授语言课

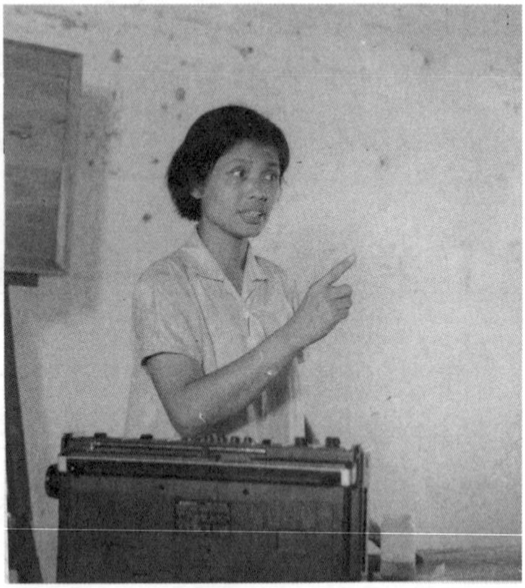

在增城故事班讲课

家。回广州后，我便到小学去听教师讲课，了解整个教学过程，听学生朗读，听老师的范读。我发现广州小学生普遍存在较严重的唱读现象，唱读是完全不动脑不动情地把字音读出来，轻重节奏句句一样，俗称“背口枉”，中学生干脆不愿意开口。学语文不开口会极大地影响对课文的理解、吸收。有一天，我到荔湾区一所小学听张老师的课，她那天讲的是《一袋干粮》，讲述红军过草地的故事，一个掉队的红军战士在途中遇到一位母亲带着幼小的儿子，母子饥寒交迫濒于死亡，战士把自己仅有的一袋干粮给了母子俩，最终母子俩得救了，他自己却没有走出草地。张老师带着非常真挚的情感，朗读一段，解释一段，不久，我发现老师的眼圈红了，孩子们的眼圈也红了，课堂里鸦雀无声，充满了凝重的气氛。原来感情投入的朗读也是可以打动人的。

一年后，我返回湛江回答了那位老师的问题。我的体会是：朗读是语文教学的一种手段，要求发音、停顿以及逻辑重音必须准确，对课文描述的情景、情感要有所理解感受，并能生动自然地表达出来，帮助学生理解课文。朗诵是一种艺术形式，是表演出来让观众欣赏的，和戏剧表演性质相近，要求有声音上的美感，音色、韵律、节奏、情感流露更细致感人，用声音塑造情景和人物形象，面部表情、眼神交流、形体动作要求准确鲜明，把听众的情感、思想引进作品描述的情景中，产生共鸣和冲击，并获得艺术上的享受。

长期以来，我对粤语的认识是很肤浅的，只是由于生活在粤语地区和工作关系而运用了粤语。可对粤语的来历、发展，语音、词汇、语法等方面，没有认真系统地学习和探讨，停留在实用中，碰到难题便找前辈请教和找有关粤语书籍查阅，现学现卖，应对过去。在我思想深处长期存有重普轻粤的思想，认为粤语只不过是方言，讲好普通话才能体现自己的文化素质和身价。参加工作后，我是在这个思想影响下，从“bpmf”开始学习普通话，以能用普通话和粤语演出和讲课为目标。

近十年来提出传承和发扬广府文化，对我思想触动很大，我发现了自己的无知和浅薄。持重普轻粤看法的人不在少数，特别是在青少年中，这是目前传承工作最大的思想障碍，要是不迈过这个坎，也许十年八年后，具备深厚底蕴的广府文化真的有可能淹没消失，这将是灿烂的中华文化巨大的损失，是我们这代人的罪过。当我意识到这问题时，同时产生悲观情绪，认为像广州这样的大城市，外来人口比例这么大，活动这么多，担心粤语很难有长久的立足之地。2014年，当我第一次接到佛山电视台邀请去为佛山市粤语故事比赛当评委时，我非常激动。官方媒体如此大力支持，众多群众积极参加，让我看到了希望。此后，我便和佛山地区的讲古爱好者保持密切联系，并参加他们的交流活动。也是那一年，我偶然听到越秀区少年宫举办公益性免费的少儿粤语故事培训班的消息，便立即表示：“我和你们一起做公益！”周日，我便到他们的课堂。一百多个孩子，睁着圆圆的眼睛望着我，我上台讲课，一开始便说：“我是园丁，我教会你们一个人讲故事就像种下一棵小树苗，教会你们大家讲就是种下一百多棵树苗，小树苗长大了就会生成一片森林。”孩子们高兴地使劲鼓掌。我用集体讲课、分组练习、个别辅导三结合的方式。每人自选一篇自己喜欢的又有意义的故事，我教他们怎样将文字稿变成口语稿，从中教他们粤语读音，词汇和语法的运用。由于他们大多是第一次讲故事，感到无从下手，我便挑出六七个讲得较好的学生成立中心组，重点培养，发挥榜样的作用，平日下午四点半下课后，两三人一组到我家里开小灶，因人施教，逐句逐段练习，进步更快。上大课时中心组就可以给大家示范，以点带面，这样的方法坚持了四五年。我还鼓励他们在学校主动争取讲演机会，可以在班里讲，队日活动时讲，广播站讲，全校集中开大会前讲。我尽量找机会让学生参加各种社会活动，如（广州）庙会里的故事会、白云山的讲古台、番禺的庙会、到省电台录音、少儿故事专场直播等。经过三四年的磨炼，培养出一些小故事王。他们从三四年级开始学习，到升中学时，有好几个学生以语言艺术特长生考上重点中学。有的学生在省电视台举办的两届广府话大赛中获得第一、二名；在省电视台举办的朗读（颂）“小金钟”赛活动获金牌；在白云山的“鳌头”讲故事赛（与成年人同赛），两位十三岁的学生分别取得第一、二名。初二学生黄卓锋参加全国中小学生朗诵比赛获第二名（普通话），开了广东学生在全国朗诵比赛得奖的先例。这些年来他多次参加电台举办的讲演活动，被称为粤语讲古新生代的代表。学校老师和家长们都反映说孩子参加故事培训班后更喜欢看书，语文成绩也提高了，有的还在班里组织故事组，辅导同学讲故事。有些老师看到了孩子的进步也改变了对粤语的偏见。为了坚持和扩大粤语故事教育工作，我建议少年宫从在职教师中培养师资队伍，我把自己的粤语教学资料复印给他们参考。

通过这几年在少年宫开展粤语故事传承工作，我看到了孩子们学习粤语语言艺术的积极性和成效。一分耕耘一分收获，我曾出现的消极思想是由于自身没有尽力。粤语的传承工作任重道远，需要一代代人的不懈努力。这几年我还积极参与粤语讲演活动。2020年新冠肺炎疫情暴发初期，我连夜为电台录制歌颂钟南山的诗和赴武汉抗疫医护人员日记，组织学生录制抗疫人员家书。为了普及粤语知识，通过省电台和手机平台直播和录制粤语知识讲座，听众和观众超十万人次。这些工作虽然微细，但传递了粤语的信息，我要为传承粤语尽微薄之力。

这几十年来，一批以林兆明、张悦楷为首的粤语艺术语言爱好者，用粤语讲演的形式，把大量的现代文学作品、历史故事、武侠小说、网络小说、古诗词，通过电台和网络传播到千家万户，成为广大群众文化生活不可或缺的一部分，但是我发现古文的讲演作品很少。虽在语文教科书中也有古文课程，但多年来老师教的却只是念读和讲解，仅要求不读错字音。不同格式的文体也不知如何区分，更别说感情处理了。我们几个多年从事语言艺术的老朋友谈起此事，大家都有同感，都认为有必要填补这个空白，于是组织了一个“粤语古文朗读组”。我们决心关门一年，研读古文，每两个月在手机上（微信群）发送一篇录音作品，互相收听，集体讨论分析，从中摸索粤语朗读古文的要领。最近我们还邀请到一位暨南大学汉语系的教授做顾问，对我们帮助很大。希望一两年后能理出个眉目，为古文的学习提供一点心得体会。

长期以来有一种误解，认为文学作品只能用普通话朗诵，方言难以表达。从我和不少同行几十年的实践证明，粤语完全可以演绎各种体裁的作品，包括诗歌和散文。粤语的词汇、语音的表现力是很绝妙的。只要我们认真翻译，细心品味，技巧到家，一样可以打动听众。现在不少四五十岁的听众还能说出当年听过的作品名称和内容：一个好的作品会让听众牢记几十年。

有一次我到一所小学，在操场上对几百名学生讲四年级课文《木偶的故事》。我事先对课文进行了加工，增加了一些细节的描述，使之更生动，对已经学过这篇课文的四年级以上的学生，这样才有新鲜感。在讲演过程中我还设了多处提问互动。学生兴致很高，反响很强烈。一起去的一位普通话演员深有感慨地说：“真想不到用粤语讲故事有那么好的效果。”

国家最近提倡传承和发展传统文化，目的就是要让大家知道，方言的根是怎样的，它的好处在什么地方，为什么能够有那么强的生命力。在海外的华侨，像我舅舅，抗战前就去了马来西亚，一家五代人，他的孩子、孙子、曾孙全部都会讲粤语。

我们由于特殊的地理环境，受中原的口音影响比较少，所以保存了更多的古汉语成分，这都有据可查。唐诗宋词里面随时可以找出来，“明月几时有”，“几时”是不是广东话？普通话不说“你几时来我家坐呀？”，都说“你何时（或什么时候）来我家坐呀？”。“问君能有几多愁”，这个“几多”，普通话是“多少”，不会用“几多”，这是粤语很常见的词。还有“借问酒家何处有”的“借问”……

粤语的歇后语资源也是很丰富的，我举个例子，“倒泻箩蟹”——就是把一筐蟹倒出来，给人什么感觉？你想把它们归拢起来，但无法下手，抓着这个那个跑了，抓着那个这个跑了，一会儿这个又把你手给夹住了，这个烂摊子没办法收拾——是不是很形象？如果用书面语“无可收拾”“乱七八糟”，就没“倒泻箩蟹”那么形象。再比如，歇后语“醉酒佬数街灯——唔知几盏”，“盏”在粤语里是一个双关语，既指一盏灯，也表示“很好”“过瘾”“快活”，这句话意思是醉酒佬数街灯怎么数都数不过来，说明他喝得不知多痛快、多尽兴。

八 “古”道存知己：我与讲古界的三位前辈

林兆明

大家亲切地称呼林兆明为“明伯”，他是省话剧院的优秀演员和领导，新中国成立前念中学时便爱上了话剧，到广州读大学时已经是经验丰富的演员。新中国成立后，广州成立广州市文工团，他便主演了话剧《六号号》。1953年广东省话剧团成立时，他是第一批演员，是我的前辈。1954年剧团排练第一部粤语多幕剧《出路》，他是男主角之一，我与他同一剧组，并饰演兄妹。那时我很幼稚，他给了我很多帮助，业务上、思想上都很关心我，我在戏里和平日都称呼他为“大哥”。后来，我虽离开了话剧团，但凡有重要事情和疑难困惑必去请教大哥。我们的兄妹情谊延续了几十年，直到2016年5

月，我悲痛地送他走完最后一程。

他是个好演员，戏路广，什么角色都演得活灵活现。特别是《七十二家房客》中的“三六九”，把卑劣的伪警察刻画得入木三分，确是“前无古人，后也难有来者”。他台词功夫了得，而且知识广博，刻苦认真。他也喜欢演播长篇小说，20世纪八九十年代他录制了大量难度极大的历史巨著，《西游记》中猪八戒的一句“哥哥呀！”成为粤语地区无人不知的语言名片。还有《东周列国志》《朱元璋演义》《张学良全传》《孙中山传》《明朝那些事儿》等上千万字的长篇巨著。要把这些富有深厚历史和文学根基的作品转换为粤语口语，工作量非常巨大，光讲稿就等身了，还要一字一句地演播出来，可想而知他花费了多少时间和精力。后来他得了慢性疾病，血压高至190毫米汞柱（mmHg），眼睛做了几次手术，只有零点几的视力。电台节目组一度需要把录音器材搬到他家里去录音。为了减轻腰部的剧痛，他不得不用枕头硬顶着身体，把藤椅都顶出个洞。他的功力、毅力、人品都令我深深敬佩。广东电台赠予他“讲古泰斗，艺术大师”的牌匾，中国广播电视协会授予他“全国小说演播艺术家”的称号，他是当之无愧的。

他是我终生尊敬的师长。

张悦楷

“楷叔”与林兆明同为粤语话剧的主要支柱。张悦楷读的是岭南大学理工科，广州解放那一年他大学毕业，在校时已是话剧舞台上的红小生。广州解放后他参加了人民剧团，在中山纪念堂演出话剧《美国之音》。那时我还在执信女中读初三。我去看了演出，他演一位年轻军官，身穿一套白色军服，挺拔潇洒，正气凛然，给我留下难以忘怀的印象。现在回想起来，话剧的内容我早就忘光了，但一闭上眼睛就会出现那位军官的身影。这是张悦楷给我留下的第一印象，也是终生难忘的艺术形象。

新中国成立初期，国家建设急需技术人才，楷叔不得不服从技术人员归队的政策，离开他心爱的舞台，待他重回话剧团时我已经调岗。但我还是住在话剧团的大院里，住了十二年，跟他包括他太太，也算熟人。他性格温和，逢人见面都是笑嘻嘻的，人缘极好，大家都愿和他交谈。他戏路广，每个人物都演得惟妙惟肖，特别是他的台词极富个性化，音色变化丰富，一个角色一个调，一个情景一个腔。

他出演的戏我几乎都看过，也追听他演播的名著，短的有一两百字的鲁迅的《立论》，长的有百万字之多的《三国演义》《杨家将》；还有现代诗歌、散文、儿童故事，世界名著《基督山恩仇记》《王子复仇记》，他用英语和粤语朗诵《王子复仇记》中王子的独白，深受听众的赞赏。他的武侠小说更是讲得神乎其神，受到众多听众追捧。张悦楷真可谓才华横溢，学贯中西。大家尊称他为“讲古泰斗”不是没有来由的。可惜他72岁便离去了。

他第一次因胃癌住院，后初愈出院，我和冼碧莹去他家中探望，他精神很好，对恢复健康充满信心，他计划再录几本书，也想去苏州看看。电台文学组派了位编辑陪楷叔夫妇去了一趟苏州，回来后他很兴奋，把大摞相片拿给我们看，还朗笑着说：“我没有去过西安，争取下次去，对讲历史题材作品会大有帮助。”我们极力为他打气，谁料不久他旧病复发，又住进了医院，而且病得越来越重。有一天，我一个人去医院探望他，情况令我大吃一惊，他消瘦得难以辨认了。我搬了一把椅子坐在他床边，他吃力地侧身对着我，气若游丝：“阿缪，西安去唔到嘞（去不成了）！”我顿时感到心里一阵刺痛，强忍着眼泪，无言以答。

过不了几天，便传来楷叔去世的噩耗。

我虽然没有机会和他合作，但他一直是我心中可敬的师长，他的作品更是我学习的样板。

冼碧莹

她可以说是我的闺蜜、挚友。1951年7月我们俩同时被招进华南文工团戏剧训练班学习话剧，她之前在培道女中，刚读完高二，我在执信女中，读完高一，在团里我们同住一间宿舍，很快就成为好朋友。1952年初，我随文工团到广东云浮参加土改，她被派到上海电影译制片厂粤语配音组，从事专业的电影配音。她是广东配音的第一代元老。

1958年珠江电影制片厂成立，全组人员回到广州，她马上被电台抓住不放，多年来录制了大量长短篇小说、童话故事、散文诗词、广播剧等多种文学体裁的作品，特别是《红楼梦》，可以视为她粤语语言艺术的巅峰之作和粤语艺术语言的绝版。

在电台录播节目，我和她常有合作，很多听众称我们为“话筒姐妹”。珠影有需要配粤语的影片，是由她负责导演和组织临时剧组。这时，她是导演，我是她的演员。我在负责筹建广东电视台配音组期间，她又成了我的老师，全力帮助我们培训演员，在有些重头戏，分量重的角色非她出马不可，这时我是导演，她是我的演员。多年来，只要珠影没有拍戏任务，她基本都会来电视台指导。她丰富的业务经验和热情负责的工作态度给了我很大的支持和帮助。她和组里的年轻人打成一片，毫无架子，亲密无间，亦师亦姐，深受大家的尊敬和拥戴。我们俩的性格、爱好和对事物的观点也很合拍。所以几十年来从未发生过争执和不快的事。她虽出国多年，但与我们的联系一直没有间断，每次回国必与大家欢乐团聚。

她现在虽在万里之外，但对广府文化的发展仍很关心，通过微信与从未见面的爱好粤语讲古的年轻人交朋友，指导和参与讲古节目的制作，受到珠三角讲古爱好者的尊敬。

我和她经常通电话，一讲起码三四十分钟甚至一小时，我们之间不但谈私人生活也谈说对广府文化传承工作的意见，共同语言太多了。人生得此知己足矣！她上学时比我高一年级，年长一岁，业务成就比我高，我把她视作师姐，信任她，尊重她，感激她。

九 未来更美好

粤语的讲古艺术近几年有了可喜的发展和提高，特别是提倡弘扬广府文化后，粤语作为广府文化的重要载体，讲古又是群众喜闻乐见的形式。首先主导媒体——广东省珠江经济电台为主支撑，长期坚持每天定时间段的粤语

教授朗读艺术

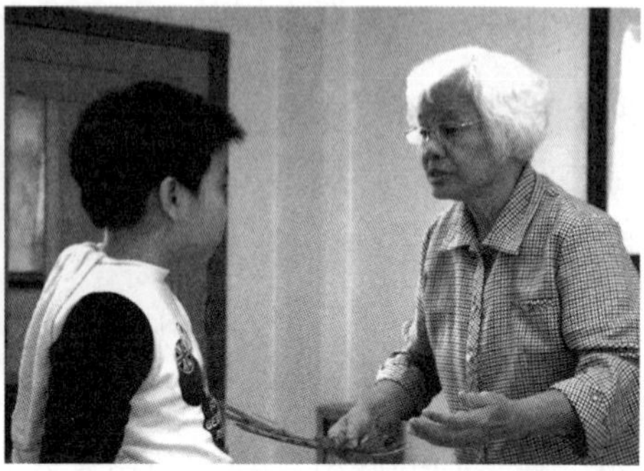
指导小学生讲故事

长篇小说连播，吸引住大批听众，近年来又与白云山共建“云山讲古台”，举办鳌头讲古赛，把讲古艺术向前推进，从中挖掘和培养出一批很有潜质的中青年业余讲古爱好者。他们互相切磋，既自娱自乐，又通过手机网络发送给广大听众，做文化义工，社会影响日益扩大。广东省珠江经济电台还通过卫星向全球转播粤语故事。

近两三年来，广州有些小学成立了粤语讲古社团，少年宫举办讲古培训班和每年定期比赛，引起了老师和家长们的兴趣和重视。他们发现孩子们通过学习粤语讲古，不但提高了粤语的表达能力，还提高了对文学的兴趣及写作能力。

参加广东电台“小说连播”百事可乐杯颁奖活动，荣获“十佳讲古明星”称号（1987年）

珠三角广大地区早几年已举办了讲古比赛，由教育部门和文化部门联手举办，把讲好家乡故事与爱国主义教育结合起来，培养出不少中青年讲古爱好者。

现在我年纪大了，但我始终放不下心头的爱，仍尽可能参加各类语言艺术活动，结交了不少喜欢语言艺术的年轻朋友，和他们共同探讨。为语言艺术之花浇水培土，做年轻人和孩子们的垫脚石，希望她们攀得更高、更快。

现今高科技的录音技术和网络传播的发展已把故事的录制和传播提升到前所未有的广阔高度和空间，对我来说，已是无法理解和掌握的，我为之兴奋不已。我相信未来，祝愿未来，一切会更美好！

姚焕然："天生讲古人"

采访者：陈周起、储冬爱、彭嘉志、肖嘉怡、周俊逸

整理者：肖嘉怡

受访者：姚焕然，男，1944年出生于广东东莞

采访时间：2020年6月11日 、2020年12月3日

采访地点：广州市东风西路132号、广州市越秀区文化公园（腾讯会议同步进行）

从小听古，自称"天生讲古人"；广州市说书学会科班出身，师承名家胡千里、侯佩玉。人生与讲古有不解缘：少年成名，突遇风雨；重操旧业，中年受挫；年近古稀，开坛讲古。数十年来讲述数十部长篇小说，至今仍坚持在书场表演。

姚焕然

一　一个"不好"的学生迷上了讲古

1944年3月，我出生在东莞石龙镇，我父亲是广州的铁路工人，母亲是东莞人。大概到了一岁的时候，父母就把我带到广州生活。当我三四岁的时候，家庭发生了变故——父亲因为高烧不退去世了。失去父亲这个家庭支柱后，我和母亲又回到了石龙依靠我的外婆。虽然外婆家也穷，但是她十分注重我的教育与成长，等到我八岁的时候，便送我去读"卜卜斋"①。我记得在

①卜卜斋：广东人把私塾叫作"卜卜斋"。"卜卜"——用广东话读起来像敲打声；"斋"——读书的地方。"常常打"，是当时的私塾教法。

中午放学前，老师们会在学生的脚板和手掌各盖上一个私章，下午回到学校的时候检查，如果发现你没有了私章就要打手板。这是因为附近的河涌多，小孩放学后喜欢去游泳，学校禁止这种行为。

后来外婆意识到在石龙镇无法给予我更好的成长环境，她和我说，我要读正规的学校。因此读了不到半年"卜卜斋"，我又回到广州，跟我的爷爷、奶奶和阿姑、阿叔等住在秉正街22号。我小学读的是秉正街小学，初中读的是市三十七中。

那时候的家庭条件确实很困难。我母亲给别人家当保姆，我读初中的时候母亲和爷爷还去了香港打工，收入也只够养活他们自己。我主要是依靠我的奶奶、阿姑、阿叔养（大）的。后来家里的负担越来越重，我初中毕业之后就没有读书了。

读书时，我并不是一个好学生，但我是一个好的未来说书人。我从四五岁开始就十分喜欢听古。那时候我的舅公会给我讲古，讲的是《薛仁贵征东》。当时石龙有一个圩场，中午散圩后有一个老人在那里讲古，而到了晚上他就会在自己家中收费讲古，我有空就会去听。到广州读书后，我每晚都会去在文明路与文德路拐弯的广州市工人文化宫听古。我是一个最忠实的听古人，春夏秋冬，风雨不改，就算明天要考试，我前一晚也要去听一场。听古的时候我还要坐在正对着讲古人的第一排上。

青年时期

除喜欢听古外，我还非常喜欢看小说。读小学和读初中时，我在课堂上经常把课本竖立在桌子上，偷偷在下面看小说。那时候家穷，很多小说都是向同学借的，别人有什么小说我就向他们借什么小说，不管是新的还是旧的，先锋的还是古典的，印象中有"三言二拍"、《海角红楼》、《寒夜》等。其中最深刻的是《京华烟云》，书中有两个警句让我铭记一生："世事洞明皆学问，人情练达即文章。”[①]

二 从厨房帮工到说书学徒

1960年初中毕业之后，我通过亲戚的介绍到了广州工学院的学校厨房工作。那时候我十六七岁，身体条件比较好，从事这种体力劳动是没有问题的，但是一年之后快要到转正的时候，我心里面一直在想：难道我要一辈子当一个在厨房煮饭的帮工吗？我意识到这份工作没有前途也不出色，因此我果断地辞职了。

因为之前我每晚都会去听古，还坐在第一排，所以当时的说书学会会长胡千里间接认识了我。有天晚上，他跟我说：“年轻人，看来你真的很喜欢听古。是不是想学讲古啊？刚好说书学会准备招收学徒。如果你有兴趣，我就介绍你去报考。”毫无疑问，我是欢喜讲古的，就答应了，胡千里无意间成了我的讲古带路人。

我清楚地记得，我是在1961年8月中旬的一个下午到市文化局进行考试的。当时的主考官是两个会长——胡千里及侯佩玉，加上文化局艺术处的一个领导干部。考的内容就是每人讲一段古。考试的情景至今还印象深刻，当时有八到十个跟我年龄相仿的考生，其中有些还是说书人的孩子，但是最后只录取了两个，一个是颜志图，他说的是《柳金花错赠火袍》，另一个是我，我们俩都是市三十七中的。在岭南地区由市文化局面向社会征集然后通过考试录取为说书人的，我和颜志图可以说是绝无仅有的（指之前没有先例）。我当时没有话本，于是就将中学语文课本上的《林教头风雪山神庙》当作话本去讲。（其实我连《水浒传》这本小说都没有，只是听别人讲过。）讲完之后，侯佩玉向我提了问题：楚霸王打仗厉害还是赵子龙打仗厉害？现在这叫作IQ（智商）题，实际上是考验我的历史功底。我想了一想，

①为《京华烟云》引用《红楼梦》对联。——编者注

回答说楚霸王与赵子龙相差约四百年，楚霸王是汉之前，赵子龙是汉末三国人，他们不可能交手。侯佩玉笑了笑后就对我说可以了。后来我顺利地被录取了，我记得通知录取的时间是9月3号，当时我只有十七岁。

三 在说书学会做学徒——成长的黄金岁月（1961—1969年）

说书一行最鼎盛的时候是1950年到1969年，从业人员达到三四十人。当时文化局的领导都有一个共同的看法，文艺工作者特别是说书人，在旧社会是属于底层的穷苦人家。换句话来说，我的前辈们，一百个里面有九十九个都是受生活所迫而从事讲古的。他们是末路穷途，做其他工作没有门路，也没有相应的本领，所以选择讲古，并在讲古的过程当中提升自己，讲古纯粹是一种谋生的手段。1950年由市文化局召集广州市的说书人，对说书界进行系统化正规化管理，这亦是说书界从没落到规范和兴旺发达的开端。

这一时期是广州说书的黄金时代，胡千里、侯佩玉等老前辈成了人大代表或者民主党派人士。可见说书受到了党和政府的重视，得到了社会的尊重，是有前途的，有高经济回报的。我们从事讲古是为了讲古这个事业而不仅是为了生存的。这一时期由市文化局领导说书学会，派了专职干部何敏士作为说书学会的辅导员，负责文化局与说书学会的沟通。同时也安排专职管理人员陈卓云统筹安排三四十个说书人到不同的场所讲古，例如有青年文化宫、工人文化宫、河南[1]市二宫、西关市三宫、光复路、西区工人俱乐部、中山六路、越秀区工人俱乐部、铁路工人文化宫等。除此之外，陈卓云还代表说书学会向各场所收取费用，然后按照级别来发放工资。当时一般工人（工资）是三十元到五十元，而说书艺人的工资按照文化局制定的三个级别工资水准发，大概分别是九十元、一百零五元及一百二十元，是一般工人工资的

①指珠江以南。

两三倍。每个说书艺人一个月要缴纳工资的5%作会费，这些会费作为管理人员的工资。每一年市文化局还会给说书学会补贴一些。

说书学会的办公场所是市文化局安排的，前身是一家古籍书店，在当时的市青年文化宫大门口和小门口的中间地段。说书学会是我们学徒生活与成长的地方。

1961—1964年是我作为学徒的时期，我主要在讲古场和说书学会里面学习讲古。老前辈们都是采用传统的教学方式——他们说我们听。陈干臣、何觉非、王效飞等都是新中国成立前后的说书人，是第一代；胡千里、侯佩玉是第二代。当时文化局指定我跟胡千里，颜志图跟侯佩玉。

胡千里讲单短篇比较多，他认为讲古不能照着书本念的，要将文本口语化。他的讲古就很有特色：一是爽朗；二是在讲古中加入民间的歇后语、俗语，用形容词铺排、描写人物形象。但是跟胡千里学习有一样不好的地方就是他没有系统地教，纯粹就是他讲我听，但这也造就了我学会提早总结。因为他的身份比较多，作为人大代表、政协委员，他参与的会议也多。我当时住在说书学会，很多时候到下午四五点，他经过学会就跟我说："阿姚，我今晚要开会，开不了场，你今晚顶替我上场，昨晚我说到这里，你照着讲就好了。"这样的好处在于我的临场表演比较多，应了一句俗话："熟读王叔和，不如临症多。"我在学徒期间第一次去文化局讲古是讲《长空露风》。当时无论是文化局的干部还是我们的师傅都对我讲的这一段古有较好的评价。

第二个师傅就是侯佩玉。他是前辈当中唯一一个进行系统教学的，有说书"十忌""十要"。他的文化基础比较好，这是一个先决条件。我印象最深刻的就是他讲《三国演义》，我认为这个作品非常能够体现出他深厚的功底。他上课时会把自己写的稿子给我们练习，他给我的第一份稿子是《陈傻子怒杀孙大贾》。后天条件就是侯佩玉跟随说书学会第一代的陈干臣有若干年的学习经历。

侯佩玉的文句不像胡千里，他讲究的就是工整、细节。我对其中一个例子非常有感触，他用一副对联教我们：

鹦鹉啄余红豆粒，凤凰栖老碧梧枝。

简单来说就是鹦鹉在啄红豆，凤凰就栖息在梧桐树上。修改后变为：

红豆啄余鹦鹉粒，碧梧栖老凤凰枝。

通过改造后句子更美妙了。比原句具有更高的艺术性。侯佩玉老师教导，说书人就应该在这些地方下功夫。我们是要向侯佩玉学习的，只是十分遗憾跟他学习的时间不长。侯佩玉不仅对语句的艺术性有要求，也对学徒的品行操守有要求。令我印象深刻的一件事是，有次我吸着烟走在街上，那时候的我已经出师可以面向公众讲古了，忽然我看到他向我走过来，我马上把烟熄灭。他笑了笑就走开了，没说什么。若干年后，他和我提起这件事，笑着说："我其实看到你在吸烟，不过你也还不错，马上就把烟给熄灭了。"这就可以看到，师傅不单只是授艺，还有授德行，传艺首先要教做人。

除了这两位老师之外，我在说书学会接触到比较多的优秀艺人。学成之后我就在市工人文化宫讲古了，也参与由市文化局的何敏倩带队的下乡巡回演出。还跟胡千里、侯佩玉、凌基、王盖华等在当时非常高级的沿江路（今海珠广场）开平华侨大厦六楼讲古。亦有幸参加较多在市政府、河南荣军医院等大型场所设立的讲古专场，成为专场候补。在这些专场，几个水平较高的说书艺人一人用半小时讲一小段，三四个人完成差不多两个小时的表演。当某个师傅没有空的时候，我就去接（他们的场）。专场就是精华，当时有《红岩》专场、"八六海战"麦贤得专场、焦裕禄专场。比如说《红岩》，就是全部人都讲这本书，你说江姐，我就说许云峰，他说华子良、萝卜头，等等。

与前辈接触多了自然发现他们（在讲古上）的个人特色。"文武庄谐，四大行当"。侯佩玉擅长讲文场与庄场。胡千里就喜欢说谐场，他的语言爽朗并且地方语言丰富。陆子轩做谐场是最好的。武场要讲得好，首先打斗的一招一式要说得清楚，说话能够收放自如，同时气势要磅礴。气雄力厚的武场表演，就数廖华轩——他的讲古气势磅礴，让听众如临其境，如见其人，如闻其声。王振球也擅长武场还有“发口”[①]，例如：

“一——路——而去！

“不是天尽头——，而——是——地绝处啊——。正是——山穷水尽疑无路——，柳暗花明——又一村——。”

一个好的说书人除了自身的功底外，还有一个重要条件就是身体与气魄。我认为自己是聪明的，因为我都是兼取百家的，然后根据说书的内容去判断要向哪一家学习。

当然，我们说书学会20世纪60年代紧跟共产党走。文艺就是为政治服务的。文艺属于上层建筑，来源于生活，忠实于生活，于生活提升并且高于生活。我们那时候还要学习政治理论，从毛主席在延安文艺座谈会上讲话开始学习。

四 好身体是讲古的本钱

20世纪五六十年代是说书的“黄金年代”，可好景不长，1969年开始时局就变化了。大概1968与1969年，说书学会被迫解散。（但我仍住在说书学会的铺子里，直到三十岁结婚之后才搬出去。）年纪大的（指当时在说书学会工作的正式员工）就给三个月工资当作遣散费，三百多块，相当于现在三万块左右吧。当时说书学会只有三个年轻人是可以被工厂接收的，就是师叔陈标、颜志图和我。大约是在1969年5月，我们听从安排去了有三百来人的广州标准件厂十六石（简称“标准件厂”）工作。颜（志图）老师是在冲床

①即声音高低跌宕的语言节奏。

做小螺丝的，陈标师叔是烧红铁打螺丝的，我起初就是制螺丝的。我很幸运只当了一年工人。

随后我的讲古生涯也伴随着“文革”而停顿了十年八年。以至于结婚后一段时间我太太都不知道我讲古。平时我在家很少跟家里人讲古。我在子女小的时候偶尔会跟他们说一些历史故事，他们很少听讲古，也很少去书场听古。现在他们基本上不喜欢我去讲古。第一作为子女他们想我安享晚年，保重身体。他们认为不需要这么劳神劳力劳气，反正一个月也就（从讲古中）赚二三千，就算不去讲古，现在的退休金也足够了。

其实自踏进讲古这一行，我就有一个认识：身体是本钱。万一没有古可以讲我应该要怎么办？当时才十几岁的我，唯一的最大的本钱就是身体，我就算当苦力也能赚一口饭钱。换句话说，说书不能进，退要怎么办？用兵家的说法就是，“未谋进取，先想退路”，所以我非常注重身体。

我也是幸运的。其中原因是身体比较好，最辛苦的工作，或者说带有一些危险性的我都能做。当时生产是半机械化操作，做一些粗重的事情，例如三升架上有三卷铁链，吊着大件机件，有一两吨重，那时候没有大吊车，需

全家福（20世纪70年代）

要人工操作。工人需要拿着十几斤重的铁链，一只手扶住上梯，一手拿着铁链上三升架吊下来。这既要有力量还要有胆量，我都做到了，用广州话来说就是“抵得”，“力贱得人敬”，就这样被领导们记住了。于是，我只做了一年的生产工人，第二年我被领导调去了机革维修班，变成后方人员，跟大师傅学维修技术，为前方机器生产服务。1970年我从后勤部跳到了技革维修班学习技术，这对于我来说也是一个人生转机，之后我的工作都是比较舒坦的。我1969年入行，1972年就当师傅带两名徒弟了。

我认为有身体就有一切，只要我身体能承受，就能以不变应万变。我喜欢运动，除了跳舞以外，篮球、足球、乒乓球、羽毛球、踢毽子、游泳、举重这些强身健体的，我都会。

我十分着重自我身体条件，这种理念或者说生活方式影响至深，到现在我的身体依然很好。

五 “舍我其谁”——文化公园开坛讲古（1979—1995年）

拨乱反正之后，广州说书学会重新成立了。从打倒“四人帮”后一直到1995年，我都利用晚上去讲古，当时一个礼拜只有一个休息日，要上六天的班。我就一周六天晚上都去讲古，休息日的中午还依然在文化公园里面讲古，几乎是没有休息的。20世纪80年代说书学会还配了说书人工作证以及文化公园出入随行证。

厂长、书记、工友都知道我是讲古佬。以前“文革”的时候开大会，厂长书记就会喊我：“姚老，讲一些笑话给大家听一下。”我就说个三两句，例如说一些民间俗语、笑话、伦文叙故事之类的。在标准件厂没有练习讲古，通常都是前一晚做一次功课第二天早上讲。我讲古是光明正大的，夜晚讲古，白天上班，工余时间就站一边看书、看报纸，工厂交代我的事情我是一定会做好的。

老实说，从20世纪80年代到90年代初，可以说我在文化公园是"舍我其谁"。每晚7点半我上台，下面全都坐满人。看台就在现在水产馆旁边的露天广场，那时候大家都是坐的水泥凳，其中有一晚，管理场地的工作人员迟到了，当时音响、灯光、麦克风都在一间锁着的小屋里面。快要七点半了，底下已经坐满观众了，他们就在起哄。等到七点半的时候还是这样，随后观众直接就打烂了小屋的锁，开门拿设备，亮灯开麦，之后工作人员才到，还惊动了保安，以为这边在闹事。听众们解释道：讲古师傅们都来了一段时间了，到点讲古了，我们就把锁弄烂了，如果要赔我们来赔就好了。

我的人生是多姿多彩的。在这个时期我因为讲古结缘认识了一位朋友。我手上常戴的一只金戒指就是他给的，我不为装饰，只为纪念有这样一个朋友。20世纪80年代中期，我每一晚都在文化公园讲古。当时有早午晚三场，一共四五个说书人讲古，我就是其中一个。（观众）里面有一个比我大二十岁左右、来自香港的邓伯，他经常来听古，随后我们就熟络起来了。有一次

在广州文化公园讲古（1979年6月）

他跟我说：我听过你们这么多个说书行家，只有你“咬我只耳”[①]。后来他很直接问我家里有没有地方可住，白天我工作他就出去文化公园逛街，四五点我回来可以一起吃饭，夜晚我去文化公园讲古他就去听古，那他就将租客栈的钱给我们家当家用，两家都好。然后经历就这样开始了。2005年我已经不讲古了，有一天我收到他在赤岗海军医院住院的消息，后来要做手术还是我推他进手术室的，做手术的病患是邓财，签字确认者是姚焕然，当医生问我们的关系时，我笑着说我也不知道，我就是讲古的，他就是听古的。

姚焕然与爱人在家中（1995年）

2003年我以标准件厂工人的身份正式退休，一共有43年的工龄。但我的内心其实是纠结的，也有一些愤恨。为什么从业几十年的说书人会以标准件厂的工人身份退休呢？我一直都没有忘记讲古，因为讲古始终是我的“本”。

六 “个天要我讲古”——退休后重操旧业（2009年至今）

（一）重返古坛

回过头来看，我这个人是被动型的，对所谓功名利禄并无刻意追求。

2009年8月中旬，那时候我已经66岁了，有一天没有午睡就想不如去文化公园走一走。我1995年离开，一直到2009年已经过了14年了，（文化公园）究竟变化如何？怀着这样的心情我走进文化公园，不经意遇到曾认识的

①咬我只耳：中听。

公园负责人，他说公园的讲古场又开始讲古了，要不要回来讲古？我同意了！他8月中旬叫的我，9月1日我就开始登台讲古。9月1日那天是星期二，所以日后星期二、星期四讲古的约定就一直延续到现在。

现在我与文化公园是一种合作关系。我的退休金也不少，讲古所赚的钱只是锦上添花而已。我跟文化公园的工作人员说过，我来讲古有"三益"：第一，我本人有事可做，思想上有寄托，有一些收入，于我个人而言有益；第二，文化公园可以保留一个小节目，有一个说书的传承基地；第三，真正喜欢听古的人可以听到真真正正、原汁原味的讲古。

文化公园出钱请我讲古，有时候也会安排外出讲古。又或者说主办方提供素材，比如去荔湾区这说一些红色故事、好人好事、党的光辉历史等。

返回文化公园讲古之后，园方一个姓黎的科长专门带我去状元坊量身制衣，送了一件长袍给我。状元坊的师傅们都很好奇，艺人来做衣服很常见，但是为什么这一次是文化公园出资呢？姚某人的讲古衫是文化公园出资制作的，这是破例了。所以我既很感恩，又很自豪。起码文化公园对我是肯定的。其实呢，用简单的话来说："外行看热闹，内行看门道。"可以说无论是在工厂的几十年，还是在十年八年的说书生涯里，我都是灿烂辉煌的。

（二）从要我学到我要学

我可以说自己是一个"天生讲古人"。为什么给自己下这种定义呢？

我认为做一件事，首要是，兴趣。相当于是要我读书还是我要读书的问题，我要读书一定会成功，要我读书未必成才！我就是欢喜讲古，有兴趣去学习，不然为什么每晚都要去听古还要坐到最前排呢？这是有心去学习的，我认为兴趣是入门的第一步。

再者，讲古人不单单要喜欢讲古，还有一点是要有表演欲，这也是一种天分。

在我的学徒时期，很多讲古人在自己的场口讲古挥洒自如，说得也比较有水平，但是一到文化局给领导说书就会因为怯场而水平下降。我偏偏就不会怯场，无论是去青年文化宫还是去大学校园讲古，这是我的优势。

很多大师、哲人他们没有文化吗？他们不懂得历史吗？倘若让他们上台演讲他们未必可以讲得很好，或许只能够平铺直叙。讲古还注重“入麦”。地道的广州人非常强调的“讲古声”，就是一种音质、咬字。你讲两三句话听众一听这种“发口”与语音，就知道你是不是讲古的了，是存在这么一种“讲古声”的。最简单的，我举个例子：

“床头金尽——壮士无颜——落魄他乡——英雄？啊——”

你说学者文人会不会有这种说法呢？一般是不会有的，这是讲古的说法，有所谓喜怒哀乐、抑扬顿挫。简单而言，一个成功的说书人，会用最简单的办法、最通俗的语言，使听众如临其境，如见其人，如闻其声。再者，说书人一边说着书中的故事，一边眼中与脑海中就要有相应画面，能做到这些就可以说是好的说书人，起码是合格的。

讲古，是没有规范的，是不稳定的。这不同于在工厂做事，师傅教你

在文化公园“羊城讲古坛”讲古

怎么做就怎么做，基本不会错。机床是这样的就不会变化，如果变了就会撞板。但是讲古就不一样了。师傅说得好，你完全照搬师傅的未必能说得好，因此说讲古还需要有悟性。入行讲古，要思考自己到底是否适合。

（三）讲到老学到老

我从十六七岁开始学习讲古，接近二十岁出师登台，至今已有五十多年。在人生的每一个阶段，我觉得自己是不断变化的，通过不断学习，我获得更加充实的知识。讲古，其实是要对原故事进行具有个人特色的二次创作，因此是比较考验讲古人的知识。我这个人的特点就是，看到什么都会印在脑子里，年轻的时候我已经形成一种“强记”能力。记得有一次我在青年文化宫讲《野火春风斗古城》，结束后，前辈王盖华他拿着书要我来讲给他听，听完后他说我可以“一行不漏”。学习无止境，以前是跟师傅学习，现在没有师傅了，我就要自己去找各类“老师”，例如《百家讲坛》，还有曲艺。怎样做一个好的说书人？我的前辈们都说要多看、多听曲艺。因此除了看书，我还会看很多粤剧，听比较多的粤曲。

罗家宝是一个粤剧“大老倌”，他有一句很简单的名言“说唱说唱”：凡是要用口吃饭，说得好听一些就是从事文艺工作，都离不开说唱。罗家宝的粤剧首要是说，而讲古也着重于说。看粤剧，听粤曲首先是为了学习别人的行腔。第二个是为了学习曲词。曲词的文字是提升精炼过的，比普通的文字好，即所谓“他山之石”。我非常强调语音的品质（韵质），曲词加上抑扬顿挫以及喜怒哀乐的表达就能够形成丰富的表达。曲艺表演的曲词、音色是最好的，曲艺演员的唱功也是最好的。因为他们没有戏服也没有动作，一定要依靠自己的唱功来吸引听众，因此对曲艺演员自身要求是更高的。学习曲艺的音色与曲词，对讲古也是大有增益的。

现在的听众群体已经变了，跟以前在文化公园、青年文化宫的老一辈的听众是不一样的。面对台下这些听众，我就会用相对新的语言，用日常生活的语言去讲古，而且说的内容应该是他们一知半解的。对听众而言，只知其一不知其二的内容更具有吸引力。内容完全懂的与完全不懂的他们是提不起兴趣的，懂一些又不懂一些的他们才有兴趣。近些年我都说一些近代的故事，例如广州起义以及大革命时期广州的故事，我在讲的过程中把当时社会背景下我们广州的实际情况加入“古仔”当中，这更容易让年轻人接受。

在今年五月一场讲古中，我提到一个群体——对共和国有功的英雄遗老。回顾历史中，其中一段说的是八路军，讲一个军人十几岁参加八路军，到后来奉羊城武将军命令跟随大部队去延安参与南泥湾大生产，自力更生，开荒种地。在原有故事的基础上，我加插了一段1945年《双十协定》的逸事。

我就是这么对话本改造，给讲古内容增色的。

（四）喜爱“解古”，立心当司马德操

人到了一定年龄，受过社会的磨炼就会有所感悟。于是，我讲古就喜欢“解”，可以说这是大部分说书人都没有的。比如说我讲的这一段古是关于宋朝的，我首先讲宋朝的历史背景、宋朝的社会情形；讲包公审案铁面无私，表现人对天地鬼神的敬畏，同样达到破除迷信的目的。

再来说三国，作者是罗贯中，为什么他会着重蜀汉？因为他是元末的人，是被蒙古人统治的汉人。作者写《三国演义》，其实为了唤起汉人反对蒙古人的统治。

为什么“六出祁山无寸草，九伐中原枉用功”？为什么明知不可为而为之呢？孔明就是“一心只为酬三顾，两朝开济老臣心”，以达到刘备的遗言，也是孔明的初衷。

再者，实际上，魏，地域之广，人口之多，经济基础之雄厚；吴，长江天堑，沿海吴越繁华富足之地，历三世据江可守。刘备，兵不多将不广，初定巴蜀之地，屡屡用兵，频繁劳师远征。但其实相比起来，魏、吴实力更为雄厚。

我用真实的历史去向听众解释。

战争中最重要的是经济，战争是经济的延续。为什么说五虎上将，孔明是天下军师，何来不能得天下？其实呢，经济薄弱不能够进行持久战。

罗贯中偏争于理，小说毕竟是小说，美化了刘备，丑化了曹操。曹操摆明是奸雄，用阳谋，而刘备用阴谋。

刘备是有多大的失误，多大的缺陷，一世之枭雄……特别是百万军征长安，赵子龙将阿斗递给他，他将儿子扔到地下，这就是奸。刘备这么做是因为他没有办法封官许愿，也不能封赏金银，唯有笼络赵子龙的人心。“无由抚慰忠臣意，且把亲儿掷马前”，岂能为一小儿丧失一员大将？就用这两句话来报答赵云。可见其奸！

还有，孔明“未出茅庐已定三分”，关云长失荆州就是自取灭亡，张飞的死更加荒唐。与人无尤！刘备为什么忙乎“隆中对策”？孔明跟他已经说得很清楚了，东和东吴，北拒曹操。关云长跟张飞的死是自己害死自己的。他们违反了国策，刘备因个人手足之情而罔顾国家根本大业，倾国之兵为报兄弟之仇，要将江东踏成齑粉。即使孙权写书投降，将荆州完璧归蜀，将杀张飞的凶手交还刘备处置，但刘备就是不肯。

这个是不是自取灭亡？所以说刘备并不是一个成才的人。

个人恩怨凌驾于天下计，关云长以及张飞的死亦当然是心血，但这些是个人私事，天下事是不是应该为先？作为最高领导人，只知有国不识有家，应该化家为国。刘备就不是这样。火烧连营七十五万，兵败将亡而复土，是孔明摆放八卦阵。后来杜甫作诗：“功盖三分国，名成八阵图。江流石不转，遗恨失吞吴。”刘备最大的过错就是这一战了，从今以后，蜀就抬不起头了。这就是刘备的重大的失误了。

在古场中我就会以这种“解古”方式向听众讲解。从2009年到现在我在讲古场主要讲《三国演义》《水浒传》《岳飞传》《杨家将》《七侠五义》等。四大名著中《红楼梦》没有说过，《西游记》很少说，《三国》《水浒传》讲得比较多，最多的就是《岳飞传》《杨家将》《七侠五义》这些传统的侠义故事。还有梁羽生、金庸的，起码每人的作品都说了十本八本。印象最深刻的就是《碧血剑》《书剑恩仇录》《萍踪侠影》，这几本讲得比较好并且影响比较深远。

我中小说的毒太深，我的立心就是既不当孔明，又不做兴汉的萧何张良韩信，我要做三国里面的司马徽，既不做名留千古的，亦不做遗臭万年的。成名又如何？有谁有好结果呢？

七 传统粤语讲古与电台说书、北方说书的差异

（一）传统粤语讲古与电台说书的分野

20世纪五六十年代在电台说书的，他们说的是话剧而不是讲古。他们是播音员，他们的生活语言多，我们就是传统说书人的风格，我们讲得跌宕（起伏）。我这种讲法与在电台的播音员的是有所不同的。

首先电台播放的小说是事先准备好的。录音的时候，播音员就是将文字化为口语，他们讲究的是节奏的流畅清晰与流水式的演讲，语言相对文雅，我们传统说书人就有我们自己的特色。他们着重于书中人的对白，我们着重于说书人的个体表述，所谓说书的语言多于生活的语言。我们除了满足听觉要求，还顾及所谓的“实景”，又可以说是“触景生情”：说书人需要面对

听众，与他们是有神情交流的。

还有，我们传统讲古人就要适应不同的客观环境。如果是在露天的，又或者说范围比较大的环境中，就会比较讲究一点——咬字要实，而且吐字要呈现“线”。我们在实场的说书人讲求“声线”，要咬字咬音。声音要成“线”，所谓成“线”，就是要传播得远。粤语说书四大行当“文武庄谐”，这是四种不同的表演形式，所配备的就是喜怒哀乐——这个是“表”；“情”即是声，就是抑扬顿挫。一个是演的，是表的，另一个就是声。任何故事、人物、内容（的表达）都离不开文武庄谐。在空旷的地方就要把声音“放实”、成“线”。很多时候我们讲古连麦克风都是没有的。在我年轻的时候，就是入门之后，我有一段时间是学习粤剧曲艺的。当时学习粤剧曲艺的学徒每一天早上都要去练声：“公车何事省了乌衣——。”所谓气下丹田。一个用声音谋生的人，他的发声非常重要，如果单单依靠喉咙，那么不出三五七日就要“收档了”，即“唔耐讲”。

还有就是播音员讲的内容是固定的，而我们现场讲古的内容是变化的，所以我会不断地学习新的东西，将新的内容放入讲古中，给听众以不同的体验，所谓“临场发挥”。

传统讲古与电台讲古一开始还是有所联系的。说书学会里面第一个做现代式讲古的是翟奇达。他是香港高中生，1950年，这个热切的爱国青年响应政府的号召回内地建设社会主义，加入广州的文工团。后来不知道是文工团如何介绍的，他转行到国光无线电器材厂做工人。有一段时间，大概1953、1954年，他在市青年文化宫开始讲第一、二次世界大战，说苏联和德国法西斯的海战。听他讲古的时候我还是个小孩，印象最深刻的就是《青春之歌》，翟奇达的风格就是现代式的。他前期晚上在青年文化宫，后来去南关（现广州北京南路和天字码头一带）讲古。之后，有市文化局的领导出面邀请他到说书学会，所以翟奇达就选择离开国光无线电器材厂，到说书学会专职讲古了。

除了他之外，我印象之中去电台录音的传统说书艺人还有胡千里、廖华轩、王盖华，只是王盖华跟廖华轩去电台讲比较少。1961、1962年学徒时期我还跟着侯佩玉去电台录音，纯粹就是去学习的，开开眼界。

20世纪70年代末，开始兴起电台讲古。我当时还在工厂做工，也会听张悦楷、林兆明的电台讲古，对比起来他们接触的听众面的确是更加广。电台上有他们，而我们就是与听众面对面，可以说是（说书界）最辉煌的时候了。当时是“文革”后，传统的说书人早就凋零了，死的死，走的走，我们都去了工厂。电台要恢复讲古最直接简单的途径就是找话剧团。无论是张悦楷或者是林兆明，都是话剧演员。就连电台的监制区荣光都去讲，“飞马上阵”。

大概在1990、1991年，有一次我们几个传统的讲古人去电台讲古，分别是颜志图、潘彪、崔大伦、我，还有梁树洪去广州电视台那里录过一段，我讲《方世玉打擂》，讲完就没有后文了，也没有播出过。

（二）粤语讲古与北方说书的差别

除了两广地区以及香港、澳门外，其他地方对于粤语方言的接受程度是有限的，而北方的相声是用普通话进行传播，受众范围相对较广。曾经有一个西安电视台的工作人员到文化宫找我，问我可不可以使用普通话讲古，但是用普通话讲古，就不是粤语讲古了。

20世纪五六十年代，有一些北方的说书团队来广州交流。广州市文联组织举办过几次南北说书交流大会。20世纪60年代我可能参加了。从事讲古之后接触过河北唐山的一个团，当时他们是直接来说书学会的。双方用普通话交流，我们能听得懂他们说的，但是他们听不懂我们说的。

不同地区的说书技艺差异比较大。北方说书人的语言传达以及动作幅度会更大一些，而我们粤语讲古会更加注重七情六欲，注重通过语言与声音来表达不同的人物以及他们的个性，讲究连接性。因为我们一晚持续讲古两个小时左右，并且都是自己一个人撑一个场。如果我们的动作幅度过大，人会十分疲倦。我们在讲古的过程中动作幅度并不大，或者说动作可做可不做。

（三）粤语讲古不能缺地方语言

讲古内容、讲古听众在不停地更新变化，但是有一些东西是不能变的：粤语文化是万万不能够缺失的。例如包括我们地方的语言，民间的谚语、俗语、歇后语，“发口”，等等。这些都是需要积累的。“寡母婆死仔——无望啊”，这个就是民间歇后语。例如“咬柴”，就是跌倒扭到（脚）的意思。这些都是作为老广州的人生积累。我认为越是没有规范的工作越是艰难。讲古是天马行空，无所拘管，是需要积累与悟性的。

八 粤语讲古的出路

（一）政府要出手

目前社会大环境不利于粤语讲古。有很多人不喜欢听，因为太慢了，现在都是快节奏的（社会），有新的娱乐方式。我认为讲古与粤剧、曲艺都是属于粤语文化推广的重要艺术形式，应该得到同等的重视与待遇。政府每一年为扶持粤剧、曲艺投放大量资金支持，也留住一大批优秀的粤剧、曲艺艺人，而讲古缺少这种扶持，可以上场讲古的仅剩下我和彭嘉志，后发无力。我认为政府对我们讲古队伍还是忽视了。说一句俗话“塘中无水鱼难养”，这里有一个塘，需要放水才可以啊。池塘没有水怎么养鱼呢？粤剧有粤剧振兴基金会支持，例如说在中山纪念堂举行一场演出，粤剧振兴基金会就会给奖励。而我们讲古的文化公园是免费提供场地的，实际上讲古门票收入是很微薄的，门票价也就是五块十块不等并且场地里不会满座，这总共加起来也不够支撑整场演出费。政府给演出的保底价格，粤剧就可以继续生存下去了。但是讲古的现状就不容乐观了。政府要给讲古人以出路。六十年前的我，入了讲古的门，是可以看到前面是光明的，是金光大道。只有看到前途，看到这份工作的优越感，人才会全程投入去学习。现在是没有这样的环境的。

有一次，文化公园的领导跟我聊起考虑接班人的问题。可是我在疑虑，即使有年轻人真切想要学习讲古，作为师傅我连让他“俾碗饭食[1]”都不能保障，我如何承担得起？目前这种情况，作为一个专业的讲古人是无法生存的。你会考虑以讲古作为职业吗？比如说，三百元一次讲古，一个月讲足三十日，计有九千元一个月。九千元是在没有休息日的情况下才能拿到的。如果说靠这些钱在广州娶妻生子是非常困难的，更别说要供车供房，这是很实际的问题。这与六十年前是不一样的。我当学徒的时候是能够通过讲古这一份职业来解决基本生活所需的，但是现在不能。

讲古要生存下去是需要一些力量去推动的。一部分来自有热心人士，另外政府要认可热心群体所做的事，并给予支持。

（二）两条腿走路

我们有一句行话：“拳不离手，曲不离口。”一个事业不是年年月月日日地做何来提升呢？如果春节讲一次，五一讲一次，国庆讲一次，一年才出去讲古三次怎么提高呢？什么叫作千锤百炼？这个是不可磨灭的定律。

除了要有对粤语讲古保持兴趣的群体之外，更重要的是要有专业性的职业讲古人，这就需要政府来出面扶持。

我认为：“业余，有业才有余。” 业余，业是专业，余就是培训班与兴趣班。首先要有专业的队伍才能够培养业余人员。我佩服颜志图和彭嘉志两师徒，他们大有伟人的风范，想要改变这个世界，我就是一个俗人。比如说像嘉志组织培训班，培养业余爱好者；计划在各社区和杨箕小学逐步开展常态化讲古活动和传承课程；越秀区设立“粤语讲古非遗曲艺书场”。在这种环境下只能够做到这样。我的意见跟他们有一些相左：我承认这也是一种传承方式，但是不是一个（正确的）方向。他们的做法不是不正确，总的来说是好的，但这是一种昙花一现。我是强调基础的，首先要有扎实的专业队

①俾碗饭食：有工作收入。

伍。如果连专业的人员都没有办法留下来，又如何组织业余的培训呢？

其次，业余的人喜欢听讲古，但有没有兴趣讲古，不一定去学习讲古，有没有这种表演欲，这又是另一个问题。讲古是需要不断去积累经验的。除了老师传授的之外，最重要的还是自己的临场经验，在时间的浸润下，靠自己经验积累与体会所得。有一句名言："学我者生，似我者死。"学习老师的精粹，不能够"照板煮碗"完全地搬过去，这是很死板的。其实做人做事都靠"悟"。有悟性是十分重要的。越是没有规则的东西，越是需要讲究悟性。假设现在我在工厂工作，悟性就不需要那么强，因为机器是按部就班地工作。反过来，讲古就不可能如此，需要靠自己的悟性。人无完人，"露自己之长，掩自己之短"才是聪明人。作为一个讲古人，是需要不断临场，不断地积累，一停下来会对自身的讲古水平与技艺提升绝对造成阻碍。

“最后的讲古佬”——颜志图

采访者：储冬爱、陈周起、包莉婷、梁永超、黄静仪、张舜琪、苏经俐、钱怡文

整理者：张舜琪、包莉婷

受访者：颜志图，男，1944年出生于广东广州

采访时间：2016年12月16日，2019年1月18日

采访地点：广州华宴食府（已停业）、广州荣华楼

在广州增城的全省故事员培训班上讲课（1982年）

台下偷师陈干臣[①]《杨志卖刀》成少年“古王”，人民公园“开街档”锻炼讲古水平，考上艺徒师从粤语讲古名家侯佩玉，终为说书学会的最后一任“掌门人”，也是第一个登上电视荧幕的讲古艺人；被媒体称为广州“最后的讲古佬”，自认为“作为传承人，（我）有这样的使命，要将粤语讲古这个非遗项目传承下去”。

一 “偷师”陈干臣

1944年我出生在广州市的郊区，是白云区太和镇沙亭岗人。我父亲毕业于岭南大学，后来他自己创办了一所小学自任校长，学校位于长寿路的华林寺附近。

①陈干臣（1896—1958），广东南海人，1932年考入广州电艺学校广播电台，成为讲古员，1938年移居香港。1945年抗战胜利，陈干臣返回广州，在广州的“胜利电台”重操旧业。除讲古外，他还撰写了包括岭南历史掌故、民间传说等内容的《百粤掌故》。

我的学业到初中毕业为止，未曾上过高中。我初中就读于广州市第三十七中学。大约在我读初二的时候，1958年初，我偶然听说在广州文化公园有一个讲古场，有艺人讲古。当时有好几个艺人轮流上台讲古，但（陈干臣）他老人家讲《杨志卖刀》的故事令我印象最深刻。陈干臣并非常去那里讲古，我算是有幸听过他晚年的讲古，后来没多久他便去世了。以后电台也有播出陈干臣所讲的故事：《杨志卖刀》《易水送荆轲》等，但我感觉他现场讲得更好。他讲古时几乎把自己所有的感情都放进去，至今他的音调、眼神、手势还在我脑海里浮现得清清楚楚。

那时我十四五岁，好记性，第二天上学便模仿陈干臣给同学讲《杨志卖刀》。谁知道，从此一发不可收拾。同学们都说我讲得好，之后一有空便缠着我让我给他们讲故事。后来连老师都知道了我喜欢讲古，每逢学校组织活动，老师就让我给大家讲古。那时候在学校，我已经有了"古王"之称。为了满足同学和老师听故事的需要，我就经常到文化公园听讲古。

（在行内）我最佩服的人，第一个是陈干臣。他的声音很有磁性，被行家盛赞为"玉喉"。我是受了他的影响（开始）喜欢讲古。陈干臣的品格高尚，有民族气节。抗日战争前，他在市政府电台讲古，那时的"老陈讲古"家喻户晓，听说连陈济棠的夫人莫秀英也曾邀请他去府中讲古。广州沦陷后，日寇占领了广州市政府电台。他们想利用陈干臣的声誉，挽留他继续在市政府电台讲古，给他一份优厚的工资。但是陈干臣宁愿失业也不吃敌禄，坚决离开市政府电台，去了香港。当时香港电台播讲的情情爱爱的故事占了主流。但是陈干臣坚持讲正派的故事，讲《三国演义》《水浒传》这些经典的故事。可惜没多久香港也沦陷了，随后他离开了香港。之后他的经历没有记载，我听老一辈的讲古艺人说他后来投身革命。至于怎么投身的，已经无法考据了。新中国成立后，陈干臣地位很高，（据传）是广州市政协的第一届委员，当时广州市长朱光，称他为"干公""爱国说书艺人"，对他有很高的评价。

二 少年"开街档"

当时我们家里生活比较困难，我是家里最大的孩子，下面还有弟弟妹妹，不想父母负担太多，便出来参加工作。此外，没有继续读书也和我的个性有关。我自小就立下心愿，不靠家庭，要自立。故初中未毕业时，我就开始找些事情做了。初中毕业时，学校要我去考师范，我也去考了。其实我不想考师范，因为读师范学校还是要家里负担伙食，我连那两餐都不想让家里负担。去考试的途中我才发现不记得带圆规和三角尺，临时买了一盒火柴代替三角尺、圆规，考试随便这样画，想不到（师范学校）就录取了我。但我没去报到。

初中毕业以后，公社安排我在石井镇的铁路工程工作，挑水泥、担土方。那时虽然工作很累，但我在工地也跟工友讲讲古。

石井镇的铁路工程结束后，我重新回公社报到，街道的人告诉我没有合适工作可以安排，让我在家等待。在等待期间，我就走去中央公园（现人民公园），自己练武，也看人家练武。我见到公园的树头下有个老伯在那拍手掌讲古，讲那些"旧古"，我听了感觉他讲得好差。他讲完之后就（向听众）收钱。我心想：佢讲得咁水（他讲得那么差），都收到点钱，现在我横竖都是等待工作，以前我都钟意（喜欢）听古，倒不如将听回来的古，学着老伯一样在公园的树头下讲下古。第一，我不想以前的讲古技术生疏，第二，随随便便都可以揾到两餐（赚到两顿饭，指谋生）。我就"胆粗粗"（大着胆子）在公园讲古。一开始我也不知道怎么开口。我坐在那儿，前面人来人往，别人怎么知道我是讲古的呢？我就叫住一两个小孩："小孩，我讲个古给你听啦。"小孩就说："好啊，好啊。"就这样，人越围越多，我讲到自己认为精彩的那一段时，就学老伯那样收钱："请大家帮帮忙，不如给点茶钱吧。"这样听众便会扔点钱过来。我记得第一次讲完的收入只有九毛钱，那时候九毛钱也算挺多了——在一个月工资不过几十块的年代。

我一般下午到中央公园讲古。在榕树下讲了一段时间后我有了熟客，每天下午只要我一到，就会有人围过来听我讲古。我为了充实自己的讲古内容，晚上便到文化公园听别人讲古。公园有个讲古人叫王盖华，是广州市说书学会的会员，他是被文化公园正正式式请去讲古的。“油炸蟹”是王盖华的外号，因为他讲古时形容人走路像个恶霸一样大摇大摆便用“油炸蟹”来代称。可他自己也是这样走路，于是就得了花名“油炸蟹”。散场后，在王盖华回家的路上，总有很多小孩尾随着他，追问故事的后续情节。比如问“油炸蟹，宋江死唔死得啊（宋江死了没有）？”。王盖华当然不会告诉他们：“你们明晚再来听啦！”

有一晚讲古结束后，我问了他一个问题：“王师傅，讲古点样先讲得好啊（讲古怎样才讲得好）？”这句话问得很幼稚，假如有人现在问我，我也不知道怎么答。这不是一两句话能够准确回答的问题。当时我这样问，王盖华觉得很奇怪：为什么这个小孩问的和其他人不同呢？他就停下脚步，转过头，（感觉）很奇怪地问我：“你好钟意学讲古咩？”其他小孩就替我答：“是啊，他白天也在中央公园讲古的。”王盖华就答了一句——这句话可以说影响了我的一生——“我们想招收一批文艺学徒，不过可能已经考完试了。你今晚回去写一张简历，明天就去文化局投递。你说是我介绍的，看看能不能够补考。”

第二天早上我就去中山四路文化局，文化局门口竖着一块牌子写着“凡是报考文艺学徒的转去市一宫（即广州市工人文化宫）”。于是我又去市一宫。市一宫门口有个人坐着收（应届毕业生）证明，收完就给一份表，填完就进去考试。我什么证明也没有，当然没办法拿到表。我就直接进了市一宫。市文化局招文艺学徒分不同门类，有讲古、粤剧、杂技、音乐、木偶等，分别在不同房间考。我去到考讲古的那间房。当时是胡千里、侯佩玉做主考，（还有）另外一个市文化局的干部。进了房间我就说：“我是王盖华介绍来的，可不可以给我补考呢？”那个干部听我这么说，就给了份表让我填。我一看，这份表和门口的是一模一样的。我念头一闪，想考杂技，因为我以前练过功，做一字马、打筋斗我都有功底。我小学的体育老师体操技巧很好，我是学校体操队的队员曾得到指点。我想我的功底不会比那些考生差。但是（我）又一想，不行，因为这份表不是通过正正式式的手续得来的，是我跟人家说是王盖华介绍来才给我填的。如果填杂技，那个干部等来等去不见刚才那个小孩来递表，追回这份表，那就什么都没得考啦。那就第一志愿还是讲古了。

讲古考试，除我之外其他考生都是中学毕业生，有一两个是讲古艺人的孩子，可能他们没事干才考讲古（学徒），不一定好钟意讲古。他们所讲的那些（有的是）课本的故事，讲得不是很好。我讲古的经历比较多，也讲得比较熟。当时我所讲的是《柳金花错赠火袍》，是《薛仁贵征东》里面的一段。在现场胡千里、侯佩玉都说："好嘢！"有的考生马上同我握手，说："你实得嘅喇（你一定能考上）！"那次考试只录取了姚焕然和我。这以后我就做了讲古学徒。市文化局指定姚焕然跟胡千里学习，我跟侯佩玉，当时也没有什么拜师仪式。但是胡千里让侯佩玉顺便带上姚焕然学习，侯佩玉也没有推辞，去电台录音就带上我们两个。

自此我就踏上了正正规规（讲古）这条路。后来王盖华对我说："你好

说书学会集训合影（1966年）

像鬼使神差一样（入了行）。"

三 师从侯佩玉

我的师父侯佩玉受陈干臣影响很深，在发音等各方面都在模仿陈干臣，也曾受教于他。我跟着侯佩玉，足足学了三年，听他录音、现场演出，也有面对听众讲古的经历。他去录音室，我就坐在机房里听他讲古。平时晚上他在交运工人俱乐部讲古，我就坐在后面听。有时他会给我一个短篇故事让我讲，一对一，我讲完以后他会点评，说我哪里讲得好，哪里讲得不好。

20世纪60年代接到电台邀请去录制讲古的都是水平很高的艺人。电台录音员曾说，每逢录制侯佩玉的录音，他都轻松不已。因为他讲古十分流畅，对于要讲的故事内容全部烂熟于心，可以从头到尾毫无差错地完成录音。如果录制过程出了问题，比如讲古艺人出现咳嗽等情况，录音人员的工作量便翻倍，操作机器的人员要按停，然后倒带，接着播放不完美的地方，然后再开始第二次录音接驳。有了师父作为榜样，我也严格要求自己顺畅无碍地一次过完成录制。

以前在电台录音是用一盘一盘的磁带录音，不是现在那些先进的数码录音，因为磁带比较贵，所以电台会反复使用。每录好一盘就在盒子上面编号或写个名称。电台有一台四四方方的设备，把用完的磁带放进去，一开开关，"wie"一声，原来的录音就全洗得干干净净。磁带也可以一边洗一边录音，但是洗不干净会有杂音。

当时（20世纪60年代）侯佩玉在电台讲《三国演义》，是连续播讲的。有一天电台发射室整理录音带顺序，在准备播出的时候，发现本来侯佩玉已经录好了的晚上要播出长篇的那份录音带被消音了。当时电视不普及，很多人的娱乐就是听电台。如果到点没东西播，电台的那台电话机要被"打爆"，投诉信会像雪片一样飞来。如果这样，将是电台的一个重大事故。

那时已是下午两点多钟，下午六点就要播出了，怎么办呢？唯一的办法是把侯佩玉叫来重新录音。于是电台工作人员拼命打电话找他。20世纪60年代没有手机，电话座机也不普及，大多数人的电话通过街道传呼。电台首先打电话去交运工人俱乐部，因为侯佩玉晚上固定在那里讲古，也在那里休息。那里的人答复说，侯老师下午吃过饭就出去了，也没有说他要去哪儿。这条线断了。他们又打电话去说书学会，可那里的人说今天不是活动日，侯佩玉没有去。这条线又断了。他们又打给市文化局，市文化局也说不知道他去哪儿了。（工作人员想）难道是回乡下了？侯佩玉乡下在南海盐步，于是电台马上打电话去盐步广播站。广播站的人就马上骑单车去侯老师家里找，然后再折回来打电话告诉电台（侯佩玉）没有回家。

眼看着时间一分一秒地过去，电台负责人守着电话，急得像放在地下的锅一样团团转。到处都找不到人，这如何是好呢？有个电台工作人员想起侯佩玉是民盟（中国民主同盟）的人。不知民盟那边有没有活动呢？电台又赶紧打电话去六榕路的市政协。政协那边回答说："是啊，我们有会议，但是不知道侯佩玉有没有过来开会。"这是最后一条线索了。好在电台在人民北路，离政协所在的六榕路也不是很远。于是电台马上派两个人开车赶到政协礼堂找人。为了不干扰政协会议进行，电台派去的两个人分两边，一左一右，一排一排找，可找到最后一排，还是没有找到侯佩玉。完了！时间不等人，他们唯有打断台上的讲话，借用会场的麦克风说："请侯佩玉同志即刻回电台！电台的同志在找你！"

这时他们才发现侯佩玉也在会场。他在哪儿呢？原来侯佩玉是参加会议了的，但是他没有坐在位置上，而是拿了一把小椅子坐在门口边上，贪凉快。他在看报纸，刚好把脸挡住了，听到自己的名字，才放下报纸扶了扶眼镜，电台的人马上看到他。他们赶紧向他说明情况，请他马上回去电台重新录制，他也就离开了政协会场，两手空空地和电台工作人员十万火急地赶回了电台。

电台负责人一看到侯老师就放下心来。原本电台准备让侯佩玉直播讲古。那时电台节目没有广告插入，半小时的讲古时间就是要播出半小时。但是转念一想：侯老师有时会咳嗽，假如直播时忍不住咳一声，听众马上会听到。此时尽管所剩时间不多，但侯老师讲古非常流畅，不太需要修改，还是能够完成录音的。于是电台马上安排侯佩玉进录音室录音。好在侯佩玉讲古功底非常好，没带任何稿件也十分顺畅地录完半小时的录音。录制完成后，工作人员马上拿着录音带跑步送去发射室，刚好赶上播出时间。侯佩玉搭车回黄沙的路上，就听到马路两边的收音机响起自己刚才录制的录音。在这"惊魂"两个半小时过去后，他当晚在交运工人俱乐部还有演出。在毫无时间准备的情况下，他也可以轻松自如地应付晚上的演出，可见师父功底之深。

侯佩玉根据自己多年的讲古心得并融合前人的讲古经验总结出讲古"十忌""十要"。因为他讲的是纯粹南派的讲古，"十忌""十要"所讲的都是处理书本或者对说书的态度的内容，没有包含讲故事眼神、手势这方面的，在内容上有些重复，这是其中不足的地方。虽然"十忌""十要"不能包含讲古所有的技巧，但是囊括了讲古的基本要领，是侯佩玉纵横艺海数十年的心血结晶，能够大致概括广州说书艺术的特点。

> 十忌：一忌粗，二忌浅，三忌太繁琐，四忌摘花面，五忌做书奴，六忌强发展，七忌线条不分明，八忌人物性格不明显，九忌浓淡不均匀，十忌高潮不出现。
>
> 十要：一要清，二要透，三要避语病，四要古味够，五要揣摩细参详，六要语言积累厚，七要能缩也能伸，八要避窠臼，九要锤炼不厌烦，十要运用偷天换日手。

"十要"中有一要叫"揣摩细参详"，这是讲个人的态度和精神，意思是要把书里的东西揣摩透，仔细参详，即是要对工作认真负责。在这一点上，我深受师父影响。

"避语病"主要是避免运用不恰当的助语词或者语言有砂石（瑕疵），

就是讲古过程中有遗忘，“呢个（这个）——”“咁呢（这样）——”，这样拖一拖想下面一句。经常讲这些是不好的，讲古过程一定要流畅，不要有语病。这就是讲语言的熟练（度）。

“窠臼”是个说书的术语，讲古中要注意避免这一点。比如很多故事情节都讲到一个忠臣义士被奸臣陷害，押赴刑场，本来是要死了，“午时三刻到！”一阵急促的马蹄声，有人在刑场外大声呼叫：“刀下留人！”这种场面听得多了，大家一听就知道主角是不会死的。这样的窠臼就要避免。再比如讲到婚姻，讲到某个员外嫌贫爱富，不想将女儿嫁给穷书生，结果书生发奋读书中了状元，最后来一个大团圆结局，皆大欢喜。这种情节在许多故事中都是雷同的，就要尽量避免。假如这种情节实在无法避免，就要在细节上下功夫。

“锤炼不厌烦”就是说要千锤百炼，如果这样讲不好就修改，务求做到精益求精。

“偷天换日手”是说有的故事情节在原来小说中讲得不是很好，比较平淡，但是有另一本书，故事又是讲同样的情节，讲得相当有细节，相当感人，横竖情节差不多，就接入要讲的故事中。这也是讲积累的。比如讲到土匪洗劫一条村庄，百姓被杀害、抢掠，一片哀嚎的情节，但这本书讲得不好，我就可以把《林海雪原》这段类似故事抽过来补上。但如果积累不丰富，你就没法子运用上，只能照原来的讲。讲古佬要做杂家，样样都要粗通。讲故事讲到看相，都要会说两句，博人一笑，也不是很真：须知五行兼备为人相，但是世间无此荣昌十足相（十全十美），不是颈短就是下巴长。讲到什么情节都要懂得发挥，比如讲到道士唱道情[①]，书上没有写道情是怎么唱的，你要从别的地方学来唱两句，有的内容在书本收集，有的在民间收集，有的在电视收集。

---

①道情，曲艺的一个类别，以道教故事为题材。

四 广州说书学会造就了粤语讲古的黄金时代

广州市说书学会的历史很长。中华人民共和国在1949年10月成立，说书学会在1950年4月就成立了。根据老艺人的说法，新中国成立初期，说书艺人分散各处，有的在茶楼说书，有的摆路边摊讲古。这时市文化局派人将流散的说书艺人组织起来，成立了说书学会。说书学会的第一次会议在当时永汉路（今北京路）的哥伦布餐厅举行。哥伦布餐厅大约就在现在北京路与大南路交界处的楼上。这次会议选出了陈干臣作为会长。

说书学会第二任会长是胡千里。他是走江湖卖药出身的，因为卖药也要讲讲医药故事嘛。他天赋高，说故事说得很好。陈干臣去世以后，大家选他担任会长。胡千里除了是说书学会的成员，同时也是民盟的人。

当时传统的说书艺人大多靠着几本传统小说来讲古，比如《三国演义》《水浒传》《说唐全传》《岳飞》《三侠五义》等。而胡千里率先带头到学校等场所讲革命故事，比如雷锋的故事、抗日战争故事、苏联的反特故事等。因为讲的革命故事很受小朋友们欢迎，他经常骑着单车应邀到学校讲古。他每到学校讲一次，学校就送一条红领巾给他戴，因此他家里收藏的红领巾多不胜数。

胡千里是第一个认识到讲古除了有娱乐群众的功能，还有教育青少年一代的责任的艺人。在旧式的说书艺人中，他属于比较前卫、思想先进的艺人，所以为大家敬佩，被推举当会长。

我曾经和胡千里一起下乡演出。有一次我们走路到了沙湾公社，一早到了大队部以后就在村里转转，见到人就打招呼，聊几句，在村里走了一圈，顺便告诉他们晚上到哪里有古听。胡千里就对我说：“这就是宣传的手法，不然人家怎么知道这里有古听呢？”有一晚，讲完古回公社途中，下起倾盆大雨，我们两个人淋得全身都湿了。我们还曾搭着小艇在水上讲古，周围的艇仔就撑过来一起听。

在胡千里担任会长的时候，“文革”到来了。“文革”期间我们没工

广州听讲古的场面（20世纪五六十年代）

作、没演出，很多书场成了做饭的地方。工人停手就停口，说书艺人靠口谋生，停口即失业，说书学会在这时被迫解散。我师傅侯佩玉回了盐步去搓炮仗——炮仗是盐步特产。胡千里就回家带孩子，他借妻子的名字替别人看小孩。廖华轩没活干，只好在街边织老鼠笼，被小孩子看到，便嘲笑他说："你不就是讲古的廖华轩？现在怎么那么折堕（倒霉）啊！"关超辉就去卖南乳花生——他失明的妻子做好花生，他拿去卖。

说书学会经历了"文革"，元气大伤，关超辉、侯佩玉、胡千里、凌基等都在"文革"时期去世，老一辈的艺人之后也陆续辞世。

说书学会第三任会长是廖华轩。廖华轩常在文化公园讲古，且古迷众多，有时听众竟有三百多人之多。他去世的时候71岁。我听过他晚年的一次说书，当时我听着看着，心里替他难受。他原本讲古气势很足，可惜那时身体已经不行了，说得断断续续，上气不接下气。但台下听众仍旧听得津津有味。有一天晚上，听众照常来听他讲故事，位置已经坐满了。时间到了廖华

讲古艺人在书场合影（20世纪80年代初，左起崔大伦、潘耀庭、廖华轩、关心民、颜志图）

轩还没有出现。因为他平时是很准时的，所以大家都焦急起来。不久廖华轩出现了。他拄着拐杖颤抖着走过来，跟听众说了一句：“我现在已经不能再讲了。”此时他重病在身，念念不忘的还是他的听众。听众也体谅他身体不好，连忙过去安慰他，让他回去好好休息。谁知过了三天他就去世了。想来他那晚是去跟喜爱他的观众道别啊……

1979年4月，中共广州市委在红旗剧场召开广州市文艺界平反大会，宣告：“当年解散广州说书学会是错误的，应恢复活动。”众艺人无不兴奋喜悦。原来的说书学会是属于市文化局艺术处直接领导的，改为民众团体后由市文联管。主管人冯北是文化局艺术处调到市文联的干部；负责日常会务的，是陈卓云，人称“二哥”。他是省曲艺团著名艺人“子喉王”谭佩仪的丈夫。

说书学会恢复时，原学会的艺人只剩下廖华轩、陈卓云、王盖华、伍国超（当时病重，无参加活动）、黄振球、潘耀庭、黄君友、黄祥明[①]、颜志图、姚焕然。

增加了——

关心民：初期说书学会会员，早年已离会，到广东音乐曲艺团唱龙舟，人称“龙舟关”。

张祖嘉：说书学会恢复初期的会员，可能是因历史问题，早年已离会。

吴文杰：和张祖嘉情况一样，我和姚焕然1961年在说书学会当学徒时，已不见张、吴二人，只是在曲艺团见过关心民。

潘标：艺人潘耀庭的儿子，原是学会的学徒，1963年因公交车让座问题与侯佩玉吵架，被开除。

崔大伦：“文革”前说书学会办学习班的学员，曾跟胡千里学艺，曾任残疾人学校教师，后在荔湾区少年宫工作。

张伟予：曾是黄华路八一中学的语文教师。说书学会恢复活动之前，会员艺人没有讲演，但张伟予与崔大伦已在青年文化宫、市一宫等地演出，后张伟予在广东电视台工作。

梁树洪：人称“十二叔”，修蒸笼匠人，业余说书爱好者，“文革”前已和黄振球、陈标等艺人密切来往，因当时的说书学会全是专业艺人，没接纳业余艺人。

那时我们没有会址，但大家都珍惜来之不易的活动机会，坚持每星期聚会一次。曾借用市文联、交运工会、粤剧銮舆堂、省曲协办公室为活动场地。活动内容主要是处理会务，慰问已故艺人家属，进行“艺术练兵”（会上轮流讲古，讲完各人评议）等。散会后一起聚餐，气氛十分欢快融洽。说书学会举办过几场“羊城掌故”专场演出。

而我就是第四任，亦是最后一任会长。1985年10月，廖华轩去世以后，

---

①廖华轩、陈卓云、王盖华、伍国超、黄振球、潘耀庭、黄君友、黄祥明如今已去世。

由冯北推荐，众会员同意我任会长。我接任前，王盖华、伍国超、黄振球、潘耀庭已去世；接任后不久，吴文杰、张祖嘉、黄君友、陈卓云、黄祥明亦相继去世，梁树洪定居美国，说书学会人员零落，青黄不接。演出阵地亦受经济因素等影响，逐步减少，正处于风雨飘摇之际。1998年广州市出台了社团登记新标准，市级的社团要求有50人以上，注册资本要有一万元以上，还要有专门办公的人员和专门办公的场所。到我手中的说书学会，在老艺人相继去世的情况下，人数已经不足50人了，我们也没有办公场所，只是借用省曲协的地方来开会，加上注册资本也不够，无法满足社团登记新标准。百般无奈之下，说书学会就被撤销了。于是我就成了说书学会的最后一任会长。

以前说书学会有两个人：龙舟坤和龙舟凌（音译），敲着龙舟鼓，说唱（龙舟书）。以前市二宫那儿有个龙舟台，他们说唱《水浒传》，一到台上就敲着龙舟鼓（开始唱）。那些韵脚他们很熟的，龙舟词都是（他们）随口说的，有时我听他们唱，连续九个字未曾转一个韵。那才是好嘢！龙舟词难

广州市说书学会成立三十七周年庆留影（1987年，左三为颜志图）

20世纪80年代的讲古坛盛况

就难在有韵脚管着你，你无论如何都要唱回那个韵。现在唱龙舟的人远远不及他们两个，（现在的人）都是根据写定的脚本来唱的。可惜我没有学到。他们说要教说书学会的，但是那个时候我不是很感兴趣。现在他们两个都已经去世很久了。

五 《寻根问底》：开电视讲古先河

在电视上讲古，我是广州说书界里最早的。我第一次上电视台讲古，是在广东电视台《寻根问底》这个节目。在我之前是来自香港的嘉宾宋韶光。节目播出后观众有意见：认为虽然宋韶光是历史学博士，还出版过一些著作，但是难道广州就没有人能做节目嘉宾了吗？还有人向电视台反映说，宋韶光解题，或多或少带有一点港台色彩，跟广东不太合适。由于以上种种，电视台就想换一个人来解题。节目组有人建议请高校教授来解题。也有人就建议请我来解题，他认为：一是教授的级别的确是更高，但是教授的研究领域比较专一，比如研究明史的就是对明史比较有心得，对清史可能了解不深；二是节目属于文艺节目，是娱乐观众的，我这个说书艺人能为节目加入故事元素。经过节目组讨论，最后决定用我，但是举荐人反而很紧张。我的拍档任永全（广东电视台主持人）对我说：“宋韶光做了一年，观众有先入为主（的看法），你来接手不知观众能不能够接受。”但我的看法是，就算有困难，也要尽自己最大的努力。第一次录制，举荐人在现场定神看我录节目，录完以后他松了一口气，任永全也竖起大拇指，跟我说：“你系得噶！（你做得很好）”节目播出后，收视率不但没有下降，反而慢慢上升。有一年，《寻根问底》被评为全国百佳优秀电视节目。

特聘请 颜志图
为我台业余长篇故事员。
聘请期自一九八八年十二月 日至一九 年 月 日
一九八八年十二月 日

颜志图业余长篇电台故事员聘书

原来在录音室讲古，可以看稿子，可以在书上做笔记，不一定要求记忆，但是录制电视节目，只能凭借记忆。在录音室讲古，听众只会听见声音，但是在电视上，观众还会看眼神、气势、身型、手势等等，所以在电视上讲古的难度会大一些。而且电视的剪辑没有电台的剪辑那么容易，现在电台剪辑用数码录音，剪辑是很容易的。有一次，在我参加录制《寻根问底》的时候，本来那个词是“断肠”，我一不小心讲成了“肠断”。我马上打电话给电视台，问他们能不能修改，他们说行！不需要我亲自重新去讲，也能够把两个字调转过来，用高科技手段来修改。只是电视有图画，讲错了，再次剪辑的时候，手势就不一定是连贯。如果电视剪辑不好，画面就会跳一下，虽然一般的小跳动，观众不容易看出来，但是跳动太多也不好。

一年后节目停播，我休息了一个月左右，就接到广州电视台的电话，邀请我做嘉宾，主持《羊城度度有段古》。我在这个节目上给观众们讲广州的历史掌故。我喜欢收集广州的历史掌故、民间传说、风俗习惯，讲古常讲广州掌故。以前的老艺人很少涉及这个领域。我年轻的时候请教一些七八十岁的老前辈关于掌故的事情，我以为他们年纪这么大，又是老广州，是一定会知道的，谁知他们也常有不知道的情况。

收集掌故纯粹是我的个人兴趣，在我当说书学会会长之前便开始收集，并非刻意满足说书的需要，但是影响了后代说书人。现在我的徒弟都很喜欢讲广州的历史掌故。

我在好几份报纸上都有过关于掌故的专栏。《广州日报》有个《讲古堂》，《南方都市报》有《粤讲粤俗》，现在我们光塔街道和《广州日报》联合办的《光塔社区报》上开了一个专栏《光塔古坛》，请我做主持人。

六 关于粤语讲古的一些见解

（一）粤语说书的由来

清代以前，广东是没有说书这种艺术的。在明末清初的时候，江苏泰州有一个说书艺人叫柳敬亭。他不仅是一个出名的说书人，还是一个反清义士。他为了抗清，策反了清朝将领左良玉将军，和他结拜为兄弟，同生共死。在一次战斗中，因为寡不敌众，左良玉将军的人马几乎全军覆灭。柳敬亭侥幸，死里逃生，但是身无分文，连回乡的路费也没有，唯有沿途讲古赚点微薄的收入，一站一站地回乡。于是就这样在广东播下了说书的种子。

有一首诗记载：

流落人间柳敬亭，消除豪气鬓星星。
江南多少辛酸事，说与人间不忍听。

"流落人间柳敬亭"就是说他在一场战争失败后，流落人间卖艺赚钱回家；"消除豪气"是指当时反清复明是豪气回荡的，而"鬓星星"就是说他已经两鬓斑白了；他卖艺的时候说的内容都是带有"反清复明"的思想倾向的，他讲的都是前朝的事情，所以说"江南多少心酸事"；"说与人间不忍听"，每个人听了都流眼泪。

以前广东的说书艺人，表演的场地主要是庙堂，因此内容比较局限，只能对来参拜的善男信女讲讲劝人为善的劝世文、二十四孝等，像《三国演义》这种就不能讲。渐渐地，说书艺人不满这些条条框框，认为没有发挥的空间，就跳出庙堂道观，流走江湖，即所谓"携技走江湖"。他们主要的展示形式就是"开街档"，在人旺的地方，拍两下手掌或者敲两下铜锣："来啦，有古听啦！讲呢个（这个）《洪熙官大闹峨眉山》！"一班人就会围住听他讲古。说书艺人讲到精彩那一段就会卖个关子，同大家讲："吊颈都要透（歇）下气，等我饮杯水再同大家讲下去。"接着就会展开折扇向听众说："前世唔收（粤音"收"音同"修"），就今世收。"收什么？就是收钱。在听众面前走一圈，边走边说："早畀（给）早发财，迟畀迟发财，个个畀就个个发财，个个唔畀说书佬就等发毛（发霉）。大家都不想说书佬发毛嘛。多多益善，少少无拘。"这样听众就多多少少放点钱到折扇上，等钱收得差不多了，说书艺人又继续讲下去。有些人在茶楼讲（古）。以前很多人是看不起说书的。有些人说它是"下九流"，说讲古佬是"斯文乞丐"。

（二）何谓"讲古"

讲故事，广州人俗称讲古。说书是讲古，但讲古不一定是说书。讲古人人能讲，说书是一种曲艺名称。说书是用方言对民间传说或小说等进行再创作的艺术形式，它有一定的排场，比如有的开场前先念一首诗"欲识当年磅礴气，且看红岩屹立形"，结尾又是："丹心照日月，义气贯乾坤。"但是讲古不一定有念诗或结束的定词，不一定将人物形容得很口语化。说书则有一定的贯口，比如形容阵法有"一字长蛇阵""二龙取水阵""天地人三才阵”，一路这么念下来。

讲古是用广州方言来讲故事。古不一定是古代（的故事），讲现代的革命故事叫新“古”，讲传统的就是旧“古”。

大约十几年前，当时电台组织了故事员开座谈会，大家提出来：什么是故事？有一个电台知名故事员说：“过去的事就叫故事。”此话一出，马上有人反对：“我昨天去买了条鱼，这是过去了的事，但这是故事吗？”后来大家讨论出一个关于故事的定义：故事是讲人的，是有一定的情节的事。如果不是讲人的不算是故事。

（三）南北方说书的差异

南北方说书的差异是长期以来形成的，不是一朝一夕形成的。有的北方人比较粗犷一些，南方人比较细腻一些。北方的说书艺人到广州演出，我去观摩过几场。加上平时收看相关电视节目，我总结出北方艺人的特点是讲故事时着重在手势、眼神、表情等方面，动作幅度也比较夸张，听他们说书像在看一场戏一样。艺人有比较高的凳子，方便坐和站，上身入镜比较多。有时候艺人会站起来讲，有口技配合等。北方说书很注意形象的表现。而广州的说书比较注重评述，着重于对书本的整理，重点放在怎么加内容进去，怎么处理人物等。北方说书的声音一般都是高亢的，而南方的说书的声音一般都会低沉一点。传统的南派讲古是

说书表情及动作分析

娓娓道来的风格，音调比较低，听起来比较亲切；北方的注重表演，有一种戏剧化的感觉，有一定的气势。比如南方（讲古）摇着扇子讲：“人生自古谁无死，留取丹心照汗青。” 但北方说书是“人生自古——谁无死！留取丹心——”，然后将扇子一拍，说：“照！汗！青！”

我举个例子，小说《红岩》中的“双枪老太婆”说书段子：“话说四川之北，接近嘉陵江边，有一座大山叫作华——蓥——山。”“华蓥山”三个字的语气要加重。“在华蓥山上，解放战争时期有个游击队的司令，呢个游击队司令呢，讲出来大家都唔相信，是个五十几岁的女同志！她姓甚名谁冇（没）人知道，不过人人叫她‘双、枪、老、太、婆’！”讲到“双枪老太婆”就要加重语气逐个逐个字掷出来“双、枪、老、太、婆”，接着下一句的声调开始降低，“讲到双枪老太婆呢，那一对驳壳枪厉害了，”接着声调又要飙高，“上打飞鸟，下打爬虫，真是百发百中，永不落空。”又再低下来，“她一生人啊，未曾浪费过一粒子弹。所以敌人面临失败的时候对双枪老太婆非常之憎恨，并出了成万银花红悬赏捉拿双枪老太婆，并且对其他共产党员乱拉乱捉，”这里又要飙高，“搞到满城风雨，草木皆兵”。凡是讲到成语，也要加重语气。我最忌讳的是某些朗诵表演无病呻吟，没有将自己的思想感情灌注在语句里面。

（四）对粤语讲古的传承与创新

我想，如果将南方讲古娓娓道来、容易和听众交流思想感情的风格同北方注意演出技巧和音调变化（的特点）结合起来，岂不是好？尤其是在舞台上演出，南方风格（的讲古），就是坐得像一尊佛一样，似乎和这么大的舞台不大协调，如果能和北方的说书特点结合起来岂不是更好？于是我开始尝试闯出一条新路。

谁知一开始就遭受好多老艺人的反对，尤其是我师父侯佩玉，他觉得这样好像不太尊重他，批评我：“你讲都未曾能讲得好，你仲（还）演演演乜（什么）嘢啊！”我坚持认为走这条路是对的，所以我一直都着重手势眼神的运用和声音的变化，吸收了北方说书的精华，丰富了南派讲古。这也影响了后学者，他们都注意手势眼神同音调的变化。

在书场表演武松打虎（20世纪60年代）

我认为“语文”这个词里，“语”就是语言，“文”就是文学，讲古人不能只停留在讲的层面上，也要执笔来写。前辈艺人比较少在写作方面下功夫。以前我在《广州日报》发表了不少故事，现在我在《光塔社区报》写故事。2003年6月份我接到中山大学叶春生老师的电话，他邀请我到中山大学中文系向学生们讲抗非典的故事。当时我在电话里停顿了几秒钟，没有马上答复他。因为这些故事没人讲过，之后也可能没有其他单位叫我去讲，只能在中山大学讲一次。虽然只讲一次，我也需要花费很大功夫。我心想，如果拒绝了他，就给他留下了不好的印象，我心一横就答应了。我说，叶老师，现在已经是六月，非典是二三月间的事情，当时的报纸我没有保存，请你在中山大学替我搜集一些资料吧。接着我又到处问亲朋好友要二三月的报纸。报纸上的故事比较分散，需要筛选，我选定护士长叶欣为故事的主人公。但是抗非典是真实故事，不能够虚构得太厉害，如果叶欣的亲友听到我讲古，说：“你所讲的都不是她！”这样也不行。要经得起考验。我想到用病人来衬托她，然后开始写稿。叶老师也派了个学生送资料来。当我写完以后，叶老师却没叫我到中山大学去讲古。后来广东省文联打电话给我，说中国文联要征集抗非典故事，要我在一星期内写好故事寄到北京。好在我有现成的！这篇稿子略略修改又派上了用场，后来北京寄了个奖牌给我，说这个故事入选了全国的抗非典文库。后来这个故事也收录在《榕荫古趣——广州说书》

里，叫《世间自有真情在》。

讲古的传承包括很多方面的内容，例如怎么处理故事，怎么发音……处理短篇故事，前面能有一段诗来开场，后面有两句排偶句或诗词作为总结，传统处理故事多数是这样。这些要尽量传承下去。你认为传统有不足的，就从其他艺术吸收养分，丰富传统。如果因循守旧，一味守着传统，就没有发展了。关于如何表现人物的内心，我认为话剧有它的长处，应该是要吸收的。

颜志图著作《榕荫古趣——广州说书》

（五）粤语讲古的两个流派

广州的讲古，有两个不同的流派。一个以张悦楷、林兆明、缪燕飞等在电台讲古的一班人为代表，他们是在电台讲古的；另一个是我们这些主要面对观众表演的。前者有话剧、朗诵的功底，善于在电台录音讲古，他们善于表达人的内心的世界——根据书中人物的内心世界的变化在声调上变化。他们受到正规的语言训练，属于比较高雅的。但南方讲古的流派跟这不同，要找出历史的原因。由于大家历史经历不同，风格也不同。

说书分"表"和"白"，"表"就是说书艺人说的话，"白"就是书中人物说的话。话剧演员、配音演员的"白"就做得很好，他们通过声音的化妆来表达人物的性格，民间艺人不及他们。但我们会用自己的话来讲故事的内容，有时甚至即兴创作，不会完全按照书本。如何在"表"和"白"两方面权衡取舍，就体现我们的功力了，既要"表"好，又要"白"好。如果用新科技来区分，他们就适合在电台讲古，我们就适合在电视上表演讲古。

什么是好的讲古？

讲古讲得好或差的标准不是艺人自己说了算的，要听众说好才算是好；

颜志图在广州图书馆广场与英国故事家交流（2007年3月25日）

讲古要讲得引起听众共鸣，这样才算是好。讲古也是要看对象的。如果听众听不明白，就不能被吸引。这是很正常的。如果对象是小朋友，就不能引经据典，讲得太深奥——虽然（这些故事）可能大人听起来津津有味。如果是妇女多的场合，就尽可能多讲点妇女的好的事迹，这样他们就都容易接受。

七 非遗传人的使命感

（一）如何收徒

孔子有句话叫作“有教无类”。对于讲古，不论男女老少，只要你欢喜学、认真学，只要你能够坚持，就可以了。我是义务教学的，从不收学费。因为我是粤语讲古的省级非遗传承人，作为传承人，（我）有这样的使命：要将粤语讲古这个非遗项目传承下去。如果完全表演没有活动，不教人，就同传承人的称号不符。故此除了表演之外，也在一些学校办培训班，将粤语讲古传承下去。

1989年底，越秀区文化馆聘请我任区故事培训班唯一的老师。

颜志图在荔湾湖公园荔苑广场表演粤语说书（2020年1月22日）

我为艺术理论课作好充分的准备，算讲得中规中矩，怎知讲到第二节课时，有个学员（中年妇人）质问我：“你都唔出名的，你上过电台未（没）呀？”言下之意：讲古出名的是张悦楷、林兆明，如你咁叻（这么棒），点解电台唔请你（去讲）呢？讲古要上电台才算叻。学员们都望着我，看我怎答。恰巧，我第一部长篇小说连播《刘金定大战南唐》在省电台开播了两天，我便淡淡地说：“上过电台，今晚你开收音机听听是不是我讲的。”她才哑口无言。

2009年，讲古被列为广东省级非物质文化遗产，我成了省级传承人。我的徒弟彭嘉志是市级传承人。

彭嘉志最初是听电台讲古产生了学习的兴趣。他在一则广告里看到我在天河区的一家茶馆中讲古，就到那里找我。那是我在那家茶馆讲的最后一场，本来讲完准备走了，谁知道刚好下雨，因为没带雨伞我就走不了了。我站在门口跟茶馆的咨客闲聊，这时彭嘉志刚好打着雨伞进来这家店。他一看见我就说想跟我学讲古。那是2004年，他才16岁，还在上学读书。我这个人比较随和，他肯学我就愿意教。

彭嘉志很好学，他几乎没有缺席我任何一场讲古，还录音录像，回去模

颜志图担任越秀区少先队粤语讲古大赛评委（2020年7月19日）

仿我讲古的风格。所以别人一听他讲古，就觉得很近似我的表演。到他高中准备考大学的时候，我到文化宫讲古，他仍坚持到现场。我就跟他说：“这个阶段要冲刺考大学了，是不是该停下来去复习呢？”他说没有影响的。他后来考上华南农业大学历史系，毕业论文写了说书史，写柳敬亭。2007年年底，在市文化局、市电视台举办的“金扇奖”市民讲古大赛上，嘉志成功夺冠，成了羊城新一代的 “古王”。现在他教出来的徒弟也成了小“古王”。我看见讲古能够开枝散叶，心里得到极大的安慰。

彭嘉志和他的师兄弟们曾搞了一个“广东说书网”，将搜集来的说书资料都放在上面，把讲古推介给更多人。到各地采访老说书艺人，给他们录音录像。那些艺人有的老了，有的很久不讲了，即便是一两句他们也好好收集起来。

我历年都是朝天小学少先队辅导员，每周都在该校故事班（社团）上课。朝天小学原故事班的三位学生同是越秀区中小学生故事大赛获奖者，三人逢周五晚都跟我学螳螂拳。晚上七点半左右，先教他们讲故事，并将手稿发给他们，八点钟左右才练武。还有个小女孩（七株榕小学五年级生），原来只是跟我学武的，见状亦受影响，对讲故事深感兴趣，主动提出也要学讲古，我亦很高兴教她。多（些）人讲古，是件好事。

（二）讲古的出路

讲古自然会有它的出路，不会局限在书台上。现在有这么多的娱乐活动，又有电视、手机的冲击，说书和其他一些文艺形式都会有低潮，都会有下坡。但我相信（讲古）因为是民间喜爱的艺术形式，有一定的历史底蕴，始终都不会泯灭的。现在，粤语讲古列入非遗，受到国家的保护。那么出路在哪呢？非遗能够走向校园，这是一个出路。好多的少年宫、学校都设了粤语讲古的非遗课，每一年越秀区都有一两次中小学生的粤语讲古大赛。电台、电视也都有讲古节目。在电视台的岭南戏曲频道还有长篇讲古。

现在讲古的古坛（古台）比较少。以前很多文化宫、公园都有古台，现在只有文化公园和伦文叙广场有古台，演出的空间比以前少了。但是可以在其他方面发展。我自己设想，可以在爱国主义教育基地，比如黄花岗七十二

颜志图参与广州非遗通识慕课粤语讲古项目拍摄（2020年5月27日）

烈士陵园等，进行爱国主义思想教育。如果有单位组织参观，说书艺人可以在景点讲故事。讲古艺人要出于一片公心、志愿心，不计较报酬。

（三）听众的接班人

说书为什么这么好听，“且听下回分解”吸引听众第二天还回来，（在）吸引观众这一方面前辈艺人为我们做了不少工作，就是在听众的心目中种下根子。我们应该继承前辈艺人下的功夫，继续种根。以前我在文化公园讲古，见到有后生或者小孩来听古，我的心是很欢喜的。这些就是听众的接班人。有几年，我每个月都去广州少年儿童图书馆给小读者和家长讲广州历史故事。要在学校的培训班、故事兴趣班等多开展这种活动，在小朋友心中种根，使他们以后不仅爱好听故事，也爱好讲故事。这就要看艺人的种根功夫做得够不够。吸引年轻人欢喜听故事，不但要讲，还要写，在写作方面也要下功夫。大家被你这篇故事吸引，自然就会喜欢听。只要你的故事写作水平高，也不愁没有地方发表。

在广州少年儿童图书馆为小朋友讲古

叶振邦：“新派”讲古“爱好者”

采访者：陈周起、储冬爱、苏经俐、张舜琪、杨思意、钱怡文、李雯

整理者：苏经俐

受访者：叶振邦，男，1945年9月出生于香港，籍贯江门台山

采访时间：2019年3月16日、2020年5月9日

采访地点：白云宾馆、腾讯会议（线上）

叶振邦

“我都唔知点定位我自己，你话我系演员又得，主持人又得，咩都得。”在军区大院长大，中学时代与语言结缘，下乡做知青时偶遇人生导师走上讲古之路，抓住机会从木材公司转行电视台，开启职业主持人生涯，事业巅峰之际离职赴港，终以配音演员身份荣休。一生都在自我挑战，却又不离语言老本行，人生的每一个“角色”都“扮演”得生动传神。1992年荣获“广东省百佳电视节目主持人”称号，被同行尊称为“邦叔”，自称是“从一出生就是一个新派的人”。

一 艺术启蒙：“讲故事刺激了我表演的欲望”

1945年9月，我出生于香港，我的籍贯是江门台山。大约1898年，我爷

爷开始由台山到香港、英国两地做买办生意。他生意做得不错，家族很大，后来客死在英国，他的子女当时都还很小。我爸爸在香港出生，长大后一个人跑去菲律宾读书，在菲律宾结识了一大帮从省城[1]过去的音乐家、粤剧演员。那帮人觉得这个小伙子好玩，会拉小提琴还会吹口琴，就拉他一起参加粤剧表演，于是他入了粤剧这行。我记得小的时候家里有一个很大的木箱，就是戏班装衣服、道具的那种木箱。1930年前后，那帮省城艺人回广州，也带上了他，这些人还参加了东江纵队游击队，有时会举办一些抗日演出活动。我爸爸打功夫很厉害的，他教这些游击队队员打功夫，成了他们的武术教练。后来日本投降了，我爸爸没事做了，于是又回到香港做生意。那些艺人老友见到他，还劝说他回来广州。可是他一直没有回来，广州解放前他在香港去世了。我母亲是一个普通的女人，在我父亲去世后，她带着我们三姐弟回到了广州，含辛茹苦地将我们养大。

婴儿时期与父母合照

因为我们是华侨，回来后被安排入住东山区的华侨房子，那时（解放军）四野的部队士兵也住在那里。我从小和部队里的小孩子一起玩，对部队的东西非常熟悉。部队人多，语言也多，于是我什么方言都学会了，山东话、山西话、湖南话、湖北话、四川话……甚至还能用他们的家乡话和他们聊天。这可能是我后来从事语言艺术工作的根源吧。

当时部队的生活氛围很好，大家都互相关心。我还和部队里面的文人、音乐家一起玩，看他们怎么写东西，怎么创作，耳濡目染下，我也学到了一

① 指广州，旅居在外的粤籍华侨华人对广州的习惯称谓。

些。知名作曲家毕晓世和我是发小，我们在同一栋楼长大的，他父亲是军旅音乐家毕树群先生。我还认识军旅作家、诗人张永枚，当时他是文学创作员（这是军队里的一个专业职务），歌曲《人民军队忠于党》是他作的词，广为传唱。我深受他们影响，喜欢诗歌，也喜欢散文，在广州七中读书的时候就开始写散文，因为散文比较自由，想什么就写什么。我的散文在七中是很出名的，每一次作文都是贴堂的（张贴在某个公共场所，指受称赞）。

我小时候比较害羞，不大会讲话，又结巴，小学一年级上课的时候总是低着头，像个十足的女孩，不说话，老师忍不住过来问我：

"叶振邦，你到底是男生还是女生啊？"

"男生。"

我就是那么害羞。怎么会讲话呢？我是根本不敢讲话！

老师为了让我多讲话，鼓励我参加话剧表演，当时每个班都要出话剧节目，我们的话剧叫《王二小放牛郎》，讲的是延安抗日时期，一个叫王二小的小朋友赶着一群牛羊上山，看到"小日本"来了，想办法去报信的故事。在话剧里我扮演什么角色呢？一只羊。我的任务是由头到尾披着一身"羊皮"，适当的时候走出去，叫一声"咩"——扮羊叫，可是我连这都不会，也不敢学羊叫。我觉得当时不尿裤子已算不错的了。

20世纪60年代，我在广州七中读初中，开始喜欢看小说。那个年代的氛围比较开放，广州七中图书馆的书也多，我什么东西都看，特别是古典文学，四大名著、《隋唐演义》之类，还有欧洲文艺复兴时期的作品，《福尔摩斯探案》更是一晚看一本，不看完不敢睡觉：因为是同学之间轮着看的，第二天一早还要给别人。后来，因为轮流排队的人多，同学们就定了一个规矩，看完了一定要复述给大家听。于是我们就互相讲故事，我也是那时开始有一点表演的欲望。广州七中的体育、文艺尤其音乐活动很出名，每一个星期我们都开音乐花会、文艺汇演晚会。因为讲得多了，我又开始喜欢搞话剧，为了搞话剧还练习朗诵，第一次接受的所谓的正规训练应该是从朗诵开始的。每个星期六晚上，广州南方剧场都会举办一个诗歌朗诵晚会，许多演员、艺术家会上台表演，我每个星期都去听。

有一次省话剧团的老师来广州七中招学朗诵的学员。当时招考在操场举行，坐着一排的考官，我们都紧张得不得了，一叫到名字就站出去，有些同学才说一句“假如”，考官就说“行了”，然后出去，第二个站出来，说“我……”，“行了”，当时就是那么严格。我心里想：“完了，到我的时候该怎么办？”我想了个办法，预先写了张纸条：“敬请老师允许我把诗歌读完。”轮到我上台，立马把纸条递给了他们其中一个——后来才知道那个人是广东话剧团的黎铿，当时已经是很出名的朗诵专家，也是演员。他看了我的纸条后笑了一笑，说：“行。”就叫我朗诵了《红岩》里的一首诗：“为人走出的门紧锁着，为狗爬出的洞敞开着”，朗诵完了后，他又笑一笑，说：“下一个。”然后就没了下文。

二 老艺人领进门，却走了“新派”的路

1964—1974年，全国都在响应党的上山下乡的号召，我便去了花县（今广州市花都区）当知青。

当时的农村都在搞文化室，文化室主要用于介绍自己村的历史，还有贫下中农如何翻身做主人及如何和恶霸地主作斗争的故事，同时要将故事写出来、贴出来并讲解，让别人参观学习。因为我有些基础，所以被安排做文化室的讲解员。当时做讲解员要求不高，属于解说性质的，但是农村文化室有个重要的任务——要给小朋友讲故事，这就需要更多技巧和要求。于是1972年的时候，花县政府开了一个故事员培训班，我也被选送过去。谁来给我讲课呢？老艺人胡千里，他是一个真真正正的、非常传统的老艺人。在20世纪60年代初，当时电台已经有这些老艺人在做小说连播节目了，记得当时有翟奇达、胡千里、侯佩玉等人。每天中午，在我们放学回家的路上都能听到大喇叭在播放这些讲古艺人讲的故事。我印象最深的是听《红岩》这个故事，每天都追着听。

如果说谁是我的入门师傅，我想应该是胡千里。那次故事员培训班上，我第一次发现原来讲故事是这么有学问的，也学到了一些技巧。我记得胡千里穿着一件长袍马褂，一副老学究的样子，嘴巴很厉害。他随口说出的顺口溜词句给我留下了深刻印象：“眉尖额窄，无黎贵格（指没有富贵相）”“额前挂个恭喜发财，额后挂个天官赐福”等，可见他对人物出场描写的词语运用是很讲究的，就是要先声夺人，令听众对这个人物印象深刻。譬如，讲到《三国演义》中的关公，“面如重枣，五缕长须，丹凤眼、卧蚕眉，骑一匹赤兔马，拿一把青龙偃月刀”，一个威风凛凛的大丈夫形象马上就出来了。我觉得这个是很重要的：人物的出场要先声夺人，把鲜明的形象告诉大家，将他的形象固定下来。对在讲故事时提到的每一个人物，你都要先设计好他的形象。

可是直至今天，我都接受不了他的讲古方式。我是新派，不属于传统旧派的那种讲古风格。比较传统的表演模式我接受不了，可能是我读初高中的时候，看的西方小说比较多，接受了西方的描写手法和用语。

1973年，广州市在中山纪念堂举行文艺汇演，花县选送了一批唱歌跳舞的节目。其中花县文化馆写了一篇故事，讲花县解放初期，国民党特务跳伞下来搞破坏，后来被老百姓捉住，题目叫《潘大爷智擒黄鼠狼》。由我来代表花县，带这篇故事到广州市区参加文艺汇演。中山纪念堂的舞台特别大，其他文艺汇演节目的演员很多：十几二十个人都有，相声节目也有两个人，但是只有一个节目是一个人讲故事，并且是用广东话讲，那就是我的讲古。当时可以说是一鸣惊人，从来没有人听过现代人讲故事是那么好听的，当时观众对讲古人的印象都是传统老艺人那样的，身穿长衫马褂，握着一把折扇往桌上一拍：“话说——”我不是这样讲故事，我是“演”的，穿着一套中山装，在台上一路（一边）讲一路（一边）表演。在讲故事的过程中我用了很多胡千里式的人物形象述说方法——四字句，如相貌堂堂、眉精眼奇、尖嘴猴腮、威风凛凛、杀气腾腾等词语，到现在我还是很喜欢用的。我知道这些语言朗朗上口，是可以让听众印象深刻的，这样人物形象就可以深入人心了。这个节目调动了整个中山纪念堂上千名观众的情绪，我一上台，一亮相，全场就“哗——”，我一开口：“话说——”仅仅这“话说”两个字，就震慑了台下，观众又“哗——”。

在当时这是一种全新的文艺表演形式。可能是因为当时只有八部样板戏流行，人们看到这么新的一种形式，觉得又好看又好玩又好听。

这次表演我拿了奖，载誉而归，回去后被调去了县广播站做播音员，就是从那时候开始，我成了职业的播音员。

1974年，广州市又有文艺汇演，花县文化馆写了一篇反映洪秀全革命的故事《手持三尺定山河》，让我去参加比赛。但是当时我已经通过木材公司的招工，准备回广州工作了，花县文化馆的领导很紧张，对我说：“无论如何你都要代表花县，讲完这个故事拿到奖啊！”我最终还是去参加了比赛。在后台休息的时候，有个人过来说：“老叶，我介绍你认识一位老师，她会指导你的！”他将我带到了当时已在省电台做配音工作的缪燕飞老师跟前，我表演了这个作品。缪燕飞老师听完之后，想了一下，说：“我提一个建议，洪秀全把剑拔出来的时候，你能不能多加一个‘唰——’的一声呢？”哇，我如梦初醒，这一点真的是很重要！我原来的表述是“洪秀全掏出一把剑：‘手持三尺定山河！’”但“唰——”一声，展现宝剑寒光闪闪、寒气逼人的样子，人物的性格、形象马上就出来了。

这是我第一次见到缪燕飞老师，她点醒了我，从此以后我便跟着她学习，并得到了她的大力帮助。她介绍我在业余时间去电台做些配音节目，她是我的第二个入门老师。

我和缪老师年龄相差只有十年，但是我习惯叫她缪姨，因为她人真的太好了，好到像妈妈一样。自从认识了她，我经常和一些讲故事的朋友去她家讲故事，听她指点，去得最多的人就是我了。她会煲好糖水给大家吃。我们和她的子女感情都非常好，像一家人一样。

回到广州后，我在广州市木材公司上班，仍然很喜欢表演。1974—1976年这三年里，我和几个年轻人组成了一个“广州市故事相声组”，队员有何宝文、郭红海、周志雄等，当时他们都是中学老师，也很喜欢讲故事、说相声（没想到他们后来真当了相声演员）。一开始我们在文化公园，几个人轮流讲，一个晚上一个人讲一个短篇故事，其他几个人当观众在下面听——其实是为了吸引别人过来听。

后来大概是1975年，广东电台要恢复《小说连播》栏目，这个栏目在"文革"之前实在是太吸引人了，是当时最长寿、最吸引人的节目。当时编辑单独和我联系，说要开讲连播节目，给点时间让我去准备，后来与我约时间去电台录音。我录的第一部长篇小说是《钱商》，是一部美国的长篇小说，讲一间银行的银行家是如何力挽狂澜克服困难、渡过金融危机的故事。从我开始讲到后来都没有什么人注意到这部小说。但是据说有次李克强总理在基层视察，问大家有没有读过《钱商》这本书，建议大家都去读一下，这本书就是教大家如何渡过金融危机的。想不到我在20世纪70年代就讲过这本书。

为什么我要挑这本书呢？其实不是我挑的，是电台文学组的编辑挑的和分配的，他们会根据你的性格特点、语言特点等因素分配小说。这是一个互相信任的事情。编辑把这本书给你，是因为觉得你合适，你可以胜任，可以讲得好。为什么张悦楷讲《三国演义》讲得好呢，因为这本书真的很适合他。我虽然也喜欢《三国演义》，也喜欢讲给别人听，但真没他讲得好。《西游记》我也不断地讲给别人听，但也真的没林兆明讲得好。缪燕飞讲的《海岛女民兵》我讲不来，那是要用女声才讲得好。刚开始录音，编辑在外面监听，到后来大家磨合得好了，演员开工就自己进去录，自己控制机器，录完就走人。可见大家已经熟悉、依赖到这种程度。而且我认为，从演员的职业素养上来说，演员不能拒绝作品，接到作品后，要想办法演绎好。我从没拒绝过编辑给的稿子，据我所知，其他电台讲古演员也都没有拒绝过。想必编辑看到我是"现代人"，就给了我这本西方小说《钱商》。后来我讲的都是《珠江风雷》《孙中山搞革命》《陈炯明叛乱》等现代题材小说。

三 转行广东电视台：讲古、主持两生花

缪燕飞改变了我的后半生，否则我会一直待在木材公司。

20世纪70年代末到80年代初，随着改革开放的日渐发展，木材公司渐渐私营化、公司化了，木材公司的一些员工下岗了。幸亏当时习仲勋当了广东省委书记，他十分重视地方的语言，认为：我们广东的电视台没有广东话的节目是不行的，这样怎么和香港的电视台竞争呢？为什么说是“争”呢？原来当时很多人偷渡去香港，这是为了“争”人心。

当时广州每一个家庭都用鱼骨天线，就是为了收看香港的电视节目。广东电视台为了把观众争取过来，只能把自己的电视节目搞好。把香港的无线电视和亚洲电视的节目引进来，香港的电视剧《欢乐今宵》全部在我们台播出。在广东电视台播出，争取观众。这比他们用鱼骨天线收看到的清晰很多，他们就喜欢（在广东电视台）看。同时广东电视台把所有的电视剧、电影配成广东话，节目大受欢迎。

20世纪80年代开始文艺界就百花齐放。在广东，电台播放讲故事、讲广播剧的节目，而电视台不断播香港的无线电视、亚洲电视的电视剧和自制配音的电视剧——把所有我们能拿到、能买到版权的电视剧都配成广东话。慢慢地，电视战胜了广播，广播就没人听了。后来情况有了变化的，广东的电台开始讲香港的武侠小说。那些武侠小说一本一本地在电台播出，讲故事的热潮就是这样起来的。

一边，习仲勋说我们要办广东话的节目；一边，要照顾到很多在广州的北方人，他们看不懂广东话节目，怎么办？根据他的要求，一是所有的电视剧都要配成广东话，二是所有电视剧都要打上字幕。正是因为这样，才有了我后来的电视生涯。习仲勋走后，任仲夷继任广东省委书记，组织广东电视台组建译制组。当时缪燕飞被委派去策划和建立译制组，她将我们这班人逐步调入了电视台，组成译制组。我就是这样从木材公司转到了电视台，那时

是1981年。

当时广东电视台的节目是一式两版，一版普通话，一版广东话。其中《国际纵横》是时事评论类节目，这个节目的普通话版主持人好找，找个播音员就是了，但广东话版的播音员难找，因为当时电视台没有讲广东话的播音员。那时总编辑拿着一沓稿件，心想："完蛋了，广东话版节目能找谁来播呢？"他马上想到我们译制组，来找缪燕飞：

"你给我一个人，下午就要录像，傍晚播出。"

"这样啊……"缪姨望了望，指着我说，"那就他吧，他长得比较帅。"

那个主任上下打量了我一番："勉强可以吧！"

于是我去了录播间，没想到那沓稿有二十多页，而下午两点半就要录像。我快速吃完饭，马上去备稿，幸好不负众望，很顺利就录完了。从那以后，每个星期都有一沓稿过来，总编辑就喊道："叶振邦。"后来干脆把我调去了电视新闻粤语播音组。

当时台里鼓足劲要做全中国第一，要跟中央电视台，乃至全世界的电视台有不一样的做法。我们知道电视台比不上电台的是时效性，电视台录影需要的时间长，还要选时间段播出；但电台不是，随时能播。于是我们台的改

广东电视台新闻节目开播，叶振邦担任粤语主持兼业余讲古（1983年）

革就落在抢时间这里，一定要快！于是选择了做直播，没有用录播。我们心里清楚，虽然前面只有一个镜头对准你，但是后面却有千百万观众看着你，所以压力是很大的。

记得1984年《中英联合声明》在北京签署，里面提到了关于香港回归的消息，之后新华社发通稿，全国都收到了，大家都在等晚上七点中央电视台的《新闻联播》。我们台收到通稿的时间是下午六点半，领导当机立断，马上写了一条新闻稿，刚好那天是我值班，他递过来一张纸，叫我立刻播出。结果，我们的消息播出时间比中央电视台的还早了15分钟！

1985年，我去北京参加全国第一届电视播音员经验交流会，中央电视台的也在。他们一听我们是直播新闻，吓了一跳，说从来没想到新闻可以直播，我们《新闻联播》怎么可以直播啊，你们广东够胆（竟敢）直播！讲错了怎么办？

“讲错就讲错，重新讲就行了。”

“这样都可以？”

“我们广东就是这样。”

我认为，讲错的时候，只要你马上顿一顿，将那一句重新讲过就可以了。不用讲“对不起”“不好意思”“讲错了”，这不需要的，观众是可以

叶振邦和侯玉婷搭档担任粤语新闻节目主持人（20世纪80年代初）

理解的。

当时我们这个播音组有三个讲普通话的、三个讲广东话的，六点用广东话播新闻，六点半用普通话播新闻，然后七点转播中央电视台《新闻联播》节目。这样一天的节目就结束了。我还参与了《万紫千红》《一周屏幕》《百花园》《家庭百事通》等节目的制作和主持。这个时期我还录播了《钱商》《珠江风雷》《赵匡胤传》等长篇小说。

在电视台主持、在电台讲古是很有身份的事，有些听众听说我是叶振邦，都很激动地说："我们经常听你的广播。"那时候讲古是没有钱收的，都是收小本子，最后本子太多了，就拿去派（送）给了街坊，收到的人都很开心，比给他们钱还要开心。本子上写着"广东××台"，很有面子。后来节目终于给钱了，录一次音五块钱。

四　甘居幕后：从"邦哥"到"邦叔"的香港配音演员

1986年到2015年，我从广州转战到香港，主要是做配音工作。

在香港根本没有讲古市场，现在没有人喜欢，以前曾经有人喜欢，当时也只有一个讲古的人，就是李我。李我以后就没有讲古的人，讲古没有市场，也没有这个机会，所有的电台、电视台都不感兴趣。20世纪六七十年代，香港的经济开始腾飞，传播手段也比较单一，最受欢迎的就是电台的广播，电视刚刚开始出现，那时是黑白电视机的年代。等到无线电视和亚洲电视兴盛以后，特别是无线电视换了经销以后，整个社会就被它吸引了。还有那个时候出现了很多根据武侠小说改编的电视剧。两个台都是争着来播武侠小说改编的电视剧，把观众听众都抢过去了，电台就慢慢没人听了，李我的讲故事节目就更加没人听了。

记得刚去香港的时候，我也不知道应该找什么工作。有个亲戚建议我去电视台工作，他帮我写了两封信，一封给亚洲电视，一封给无线电视的邵逸夫。后来亚洲电视台的秘书打电话约我面谈，第二天我便带着在广州播新闻的节目和配音的资料过去。

面试的领导看完后问我："甘不甘心做幕后？"

"做什么幕后？"

"配音啊，你熟悉配音。"

我说好啊，我最喜欢配音了。于是他马上打电话叫配音经理过来："听日（指明天）翻工（指开工），去配音组。"我开心得不得了。于是我成了亚洲电视的职业配音演员。又过了一天，邵逸夫的秘书也打电话给我。

"不好意思，我答应亚视那边了。"

"这样，没关系。"

"啪"，无线那条线就断了。

我之前认为自己配音很厉害，能把一个剧本全背出来，不需要对口型。谁知道去了亚洲电视的配音棚后，发现我完全不会配音了。只有在临近开机时，剧本才会放到录音棚的台上，之前我们是拿不到剧本的。那里一共有四个座位、两支麦克风，大家得不断地找自己的台词来背、来念，这叫"搵（指找）字头"。比如有个角色给了你，开头标注一个"邦"字，一本二十多页的剧本，凡是"邦"字头的台词你要挑出来、记下来。第一分零二秒到"邦"，你要出声了。第四分三十五秒到"邦"，你又要开声。而且你不能一直坐在录音台的座位上，那是大家轮流坐的，说完就要走。一开始，我看到人人都在挑挑挑，不知道他们在挑什么，也不知他们在做什么，我就看一看，看完就站在旁边。"喂，到你了。"这样一叫就表示NG（not good，指表演达不到要求，被要求重拍），外面的录音师吼起来："去你的，有没有搞错！"我赶紧说："对不起，对不起。"我的心怦怦跳了起来。有时突然开机，我却没有讲，外面又骂了：

"开声（指说话）啦，为什么不开声？"

"不好意思，不好意思。"

"去你的，都不知道会不会。"

之前我在广州配音是看演员的口型，口动了就要讲，不用戴耳塞，需要背稿，但是在香港则是戴耳塞，耳塞里面有提示声音，你就要开声，没声音的时候你就要收声。所以当有机会看稿件的时候，你必须快点看好自己的那几句台词，要知道你的第一句是什么，要记住它，在挤进去坐下来的那个过程中，第一句、第二句可能已经要讲出来，嘴还不能离开麦克风的位置，歪一点都会NG，要被录音师骂。到亚洲电视，我等同于重新入行，每天都是诚惶诚恐、战战兢兢。当时我四十一岁了，人到中年，要放下自己之前所有的名声，真的觉得很艰苦。

当时我的生活很紧张，幸亏那时香港的配音生意很好，每天晚上我们这些配音演员都会去外面炒更（指利用晚上时间或其他业余时间兼营一份职业），收入多了一些，做的东西也开心。我们从晚上七点配到深夜三点，每天如此。因为是大家一起出去挣钱，大家会互相爱护、互相关心、互相帮助，和亚洲电视里面一起“捱世界（指在社会上打拼）”的关系有些不一样。回到亚洲电视配音，没轮到你就在下面坐，有些人就坐在那里睡觉，睡到打鼾，只好停机，“喂，小声点”。大家累到这种程度。

我和许多明星都合作过，周润发、刘德华、张国荣、梅艳芳等，大家都很熟。他们很忙，但都很认真，特别是郑少秋，当时我做配音导演，他会和我一起分析台词，很平易近人。

那时候我住在湾仔，做配音要到处跑，荃湾、九龙、旺角、佐敦等很多地方都去过。凌晨三点坐公交车回家，还要冲凉（指洗澡）、洗衣服，第二天九点钟要回到亚洲电视上班。生活是很紧张，但是我也学到东西了。

在香港亚洲电视做粤语配音演员

我觉得这样强度下的香港配音演员全部是精英，只要一开声就能马上抓到要配的角色的神髓，知道他的人物性格，知道应该怎么用声音特点扮演他。

我很快适应了香港流水作业的配音方法，慢慢地，香港配音圈的人都叫我“邦哥”，由当初被人骂不会配音的人，变成全行的阿哥级人物。

到了20世纪90年代，迪士尼公司看中了我，和我签了约，我成了他们的专用角色配音演员。为什么迪士尼公司看中我了呢？是因为有一次他们的电影《雪姑七友》，也就是《白雪公主和七个小矮人》，需要七个男人配音，我配其中一个打瞌睡的，扮演得很好，得到了他们的赏识。于是迪士尼公司请我做粤语配音制作经理和导演、监制等。其间我配制了《风中奇缘》《美女与野兽》等多部迪士尼动画。大概是2000年，我受邀回广州电视台、佛山电视台做电视节目，做了《广州聚焦》《财智与生活》《创富者》等时政经济节目，并录播了《世纪黄金剧场》《真爱500金装剧场》等长篇小说节目。当时刚回来广州，和我对接的电视台监制说：“叫你叶生客气过头，直呼其名又不够礼貌，老叶似乎叫老了，不如叫‘邦叔’亲切一点！”从此以后我又多了个绰号——邦叔。

后来我去了凤凰卫视工作，在那里做了十年监制，做了十年编审，我最重要的监制作品，是大家都熟悉的《有报天天读》和《一虎一席谈》。我在凤凰卫视一直做到2015年才退休，退休后移居瑞士，和女儿一家生活在一起。

在凤凰卫视工作

五 "讲古，更要讲新"

传统的旧派讲古来源于茶楼，茶楼为了留住茶客，安排了一些娱乐节目，有唱粤剧的，有讲故事的。讲故事的成本是最低的，只要一个人、一把扇子就可以了。那时候讲故事很容易，一本书摆在面前，一边讲一边看。古典文学里讲到"说书"，就是前面拉一个屏风，其中讲到火是怎么烧起来的，我最记得那一句话："两股战战，几欲先走。"撤走屏风后，"一人、一桌、一椅、一扇、一抚尺而已"而已。茶楼本来就是做本小利微的生意，请一个讲古佬来，可以招徕多一些客人，也不用给讲古佬很多钱。在这种情况下，讲古艺术慢慢在民间发展起来，那些故事全部来源于生活，都是很有趣的事，听众百听不厌。一听到讲古的阿伯要来了，大家赶紧"担凳仔，霸头位，听古仔（指搬凳子占个好位置听故事）"。这就是旧派。

电台出现后请了胡千里、侯佩玉等几个老前辈来讲故事。但电台是以分以秒来做节目的，像录播中吞口水、起身上厕所等行为，在电台是不行的。在电台小说录播节目，每半小时一节，操作呈现现代化、规范化。这样的情况，是电台逼着传统讲古进入现代化，打破了传统的模式。

新派讲古的人全是演员出身，都是上惯了大舞台的，比如林兆明、张悦楷等都是话剧演员，接受过戏剧训练，想让他们回头用传统的方式讲故事是不可能的。新派讲古带着浓烈的语言表演色彩，加上面部表情和肢体动作。这种表演方式，不仅被现代人接受，老人家也接受，连以前听老派讲古的人也觉得挺有趣的。另外，广播的传播手段很好，所有人都能听到。

现在电台讲古节目更进了一步：通过网络平台播出，这是一种很好的传播形式，如果在电台里听古，大家在固定时间段守着收音机听，今天第一集，明天第二集，二三十天还没听完。现在在网上，这些故事随时可以点播，今天没空明天再听也行。故事多样化，平台丰富化，使讲古的生命力更顽强了，起码不用一定要在榕树头下听说书，否则到了晚上七点钟，没吃完饭，或者还要出去约会，就错过了听古。

有一年电台计划找回以前的作品放在App上，选了我的《赵匡胤传》，临上架之前发给我听，问我是否可以，满不满意。我听完后说，当然不满意，如果非要放就放吧。如果现在再录一遍，我想我会用不同的演绎方式、不同的声调，当时还是生硬了，欠缺了说话的流畅性。虽说是新派讲古，但我用了不少旧派的程式化东西。比如开头讲“原文再续上一回”，这个腔调很传统，现在再听，我觉得有种“阿伯又来了”的感觉。2000年后我录了一些小说，全都不用“上回书说到，下回再续”等话语，而是改成“上次说到，下次再讲”这一类，去掉传统的腔调，尽量生活化。

我一直以来对讲古的认识是喜欢新，更喜欢独立创作。记得有一次，相声大家马季来广州做经验交流和艺术指导。台里请他来跟我们开一个小型的座谈会，请他指点我们的讲古。我被派去表演一个节目，是我最熟悉的《潘大爷智擒黄鼠狼》。马季听完后，说：“这根本不是讲故事，是表演故事，跟我们传统的讲故事是两回事。你这复杂很多，丰富很多，难度也高很多。不是普通的我们想象中的‘讲故事’，我也没有办法给出评论。”虽然马季

叶振邦在广州举办的“中国最美声音颁奖盛典暨众生药业为爱发声公益行动”表演粤语动画配音（2017年6月1日）

是北方人，听不懂粤语，但是他看了我的表演——面部表情、动作、语言等，大致知道我在讲什么。他还说："这种表演真的很难得，很难得。"现在的讲古，新方法更多了，也比我们好多了。如讲侦探小说、鬼马小说可以放一些背景音乐，让你沉浸其中，我们当时没有这些。

在作品方面，我喜欢讲述现代故事，尤其传记。我的作品和张悦楷、林兆明等人的作品不同，他们的完全忠实于原著，我的则是不断地加自己的东西进去，包括表演、剧情。有时我是将整本小说重新改写，所以录播故事的时候，我基本是拿着自己的手稿来录播的。比如我讲过《毛泽东与蒋介石》，我加了差不多一倍的内容，不断地将我自己知道的东西，将他们两个的交集加进去，做成一本除我自己外无法复制的作品。我所有播出的作品全部不可以复制，因为都是我自己的东西，这是和他们不同的地方。

为什么喜欢新呢？除了我以前喜欢读西方文学的缘故外，我还时时思考讲古是怎么发展的。如我认为讲古本身根基并不深厚，是一种快餐文化。快餐文化是现成的，碎片化的，但是只要让他们产生内在联系就可以了。因此如何把故事包装好，讲得生动活泼，让别人有兴趣听，这才是最重要的。我相信这个世界上没有人是不喜欢听故事的。凤凰卫视陈晓楠的《冷暖人生》栏目这么深入人心，也是因为栏目的故事十分吸引人，呈现了每个人的生活都会有冷有暖，有喜有乐，我们怎么对待生活是很有学问的。可见，碎片化的东西也有很多内在的联系。讲故事也一样。是不是一定要像以前讲古那样，一本一本大部头地讲，这是值得我们思考的。

我认为表演的形式新也很重要。我建议现代讲古要去掉一些繁文缛节，尽量现代化、平民化一点，这样与观众的距离感就缩小了，不然的话，一上台就要穿长衫马褂，这种扮相已经与时代脱节。

六 表演的技巧："既要进入角色，也要抽离角色。"

这里有两个表演的方法。第一，对文字描写的表演。这本书的人物形象描写很生动，你参照文字内容来表演就可以了，如《水浒传》的评书话本已经非常口语化了。第二，对我们自己的描写的表演。故事中的男女老少，有不同年龄、不同性格，都要用语言表现出来，语言虽是有限的，但可以通过声音的表演、化妆，还有人物语言的对比来表现这些人物。比如王婆和潘金莲，两个都是女人，那怎么样令观众留下深刻印象呢？王婆一定是那个老的女人，很八卦，很多话说；潘金莲是一个美女，羞羞答答，心里很想说但又说不出口。如王婆教西门庆通过十步来观察潘金莲的反应，一步一步地，直到第十步就成功了。那十步的描写在王婆那段戏里，可以说是最重要的戏：你一定要将里面三人的声音、对话等穿插来讲，效果就会非常好。当王婆对西门庆说："男人最重要的几个字，你一定要做到这几个字，你才能引诱女人上你的床。""那是哪几个字呢？"西门庆问她。这两句话需要不同表情、不同声音、不同速度来表现。

塑造人物形象和性格也是讲古的关键。我看《水浒传》这本小说十次、二十次、三十次，反反复复地看，去了解、理解每一个人物。看《水浒传》学什么呢？学书中对人物的描写，不仅是外形，还有性格，要反复阅读、充分了解才能去讲古。《水浒传》的一百零八将，每一个人都有其独特的外形。比如鼓上蚤时迁给大家的感觉是鬼鬼祟祟的，像老鼠一样钻来钻去，任何时候，时迁都是缩在一角的，见不得人的，因为他随时准备偷东西。比如李逵，一看到他的名字，你会先想到他是胡子横着生长的，粗鲁，黑乎乎的，一张口就骂人，很凶，拿着两把大板斧，这个就是他的形象了。还有林冲，很多讲古人都不知道林冲的特点是什么，讲到林冲只会说他很勇猛，"豹子头"，八十万禁军教头，使一把银鹰钢枪。实际上，林冲是一个武艺高强而优柔寡断的人。他为什么上了陆迁的当，他为什么被高俅害得那么惨啊？就是因为他优柔寡断，心地太善良了。还有宋江，他阴阳两面，但又很为兄弟着想，谁有需要的时候、最困难的时候，他一定能帮到兄弟，所以才叫"及时雨"，这是他的性格和形象。而有些人物是没有具体形象的，比如说玉麒麟卢俊义，他没有一个深入人心的外形，他是一个有很多钱的人，江湖上的好汉要钱就给，他是赞助商，也好客，这个时候，对人物的形象你可以忽略不计，可以通过这种事件来描述他的形象。

我在配音和讲故事的日常工作中逐渐形成一个习惯：必须强迫自己从已经完成的角色中抽离出来。因为记得太多的话，就会把自己的思维搞乱。我就只能把已经过去的都忘掉，重新进入一个新的角色、新的环境。

在配音工作中，我只扮演一个角色，只需要把那个角色吃透了就行。但是讲古不一样，小说里面牵涉到100个角色，我就要扮演100个人，要把它演绎好就要付出很大的努力：经常思考，从形象思维方面去想，角色应该是怎么样的，他的举手投足是怎么样的。我都要把它设计好了，不然的话我就讲不出那个样子。

我简单举一个例子，比如说大家很熟悉的关公关云长。关公是怎么样的？听众不能看见，但是有形象思维，会按照你说的去想象——五绺长须，丹凤眼，卧蚕眉，重枣面，骑一匹赤兔马，手拿一把青龙偃月刀。你还得用声音去模仿这个要扮演的人物。比如故事里有五个人物，三个男的，两个女的。三个男的有一个老的，有一个少的，有一个中青年，女的一个是婆婆，一个是小姑娘。你的声音，通过不同的语气、语调去把他们扮演好。讲故事还有一个很大的难处，要在极短时间内，切换不同角色。

七 讲古好玩，但难在哪儿？

我们当时就是从1973年、1974年开始在电台录小说、录广播剧了，都是用广东话。打倒“四人帮”以后，讲古就更加兴盛了，我们这些所谓老的讲古人都到电台去录音了。张悦楷、林兆明、吴克、缪燕飞、冼碧莹，大家都是那段时间出来的。

最近十年，讲古陷入低潮了，因为其他的行当赚钱比较容易，而讲故事要付出的劳动代价太大了。比如说我要讲《三国演义》，就要把整本《三国演义》用广东话重新写一遍。如果小说有50万字，我就起码要写50万个字。

比如冼碧莹，她用广东话来讲《红楼梦》，《红楼梦》要翻译成现代的普通话已经很困难了，翻译成方言那就更困难了。所以你想一想她付出的代价有多大？另外，看书的思维方式跟听故事的思维方式是不同的，你要把小说讲好，让观众、听众听清楚，就需要把内容调来调去，要自己加很多内容，又或者把里面那些比较晦涩难懂的话去掉，变成容易听得懂的广东方言，所以讲古人工作量是很大的，但是报酬却是微不足道的。慢慢地，到了李伟英、梁锦辉的后面就没人讲了。假如你请我讲，我也不想讲了，因为我要付出的代价太多了，而得不到成比例的报酬。所以有些人宁可去配音，也不想接电台讲古的活。我觉得配音是很好玩的，每一天都是寓工作于娱乐之中，既打发时间，也有很多收入，很高兴。

由于讲古的难度大，对于讲故事的人要求是很全面的。听他讲故事似乎还有很多缺点，但其实讲故事的人可能已经付出了很多很多的劳动。他们对所讲的故事都有很深刻的感受，因为他们要扮演各种各样不同的角色，为此钻研了许久。讲古里面有很多的学问，包括文学的、语言的、形象思维的、表演方面的，难就难在这里。

粤语讲古在传播上具有明显的优势和劣势。优势呢？在珠三角地区，千家万户都喜欢，原因是大家语言相通。比如说，你讲的故事的背景是在佛山，那么佛山的人更容易被吸引，因为你讲的是他身边的故事，用的是方言。几十年以来，只要是我用广东话做的节目，在广东话普及的地区一定受欢迎，这个就是方言的优势。劣势呢？也正是这一点。劣势的地方就在于听众不是广东人，你就不一定喜欢听粤语的故事。因为听众听不懂，或者听懂了，但是有些地方理解不同，就听不出其中最奥妙的地方。

这就跟北方的说书有很大的区别。北方的说书，基本上不用翻译。他按照这本书念出来，大家都可以理解。但是广东话呢，没有一本书是用广东话写出来的，一般都是现代标准汉语，要把它翻译过来，这个行为本身就存在很大的难度：讲古人可能理解错或者演绎错，演绎了不同的意思。这就是粤语文化的劣势。我经常说，不要把广东话看得太重要了，也不要把广东话看得太高尚了，广东话就是一种地方的语言而已。

我觉得表演和创作是可以分开的，特别是在网络时代。举一个例子，林劲讲的故事有很多人配合：他拿到的脚本是别人创作的，到了林劲，他要进行二次创作，他的收音师进行第三次创作。比如说林劲他说到"嚯一下拉出一把剑"，后面配音、收音师傅，马上帮他加一个声效，然后他说到"一脚踏下去"，"嘣"，声效又加上去，他演绎跑过去，"咚咚咚"，声效又加上去。林劲说的故事就变成广播剧，我们闭上眼睛听，好像在看电视剧的一个镜头，那把剑在他的脸上"哗哗哗"几下，他的声音和"啪啪啪啪啪"的效果音，交混回响，加深了讲故事人的语言艺术的感染力、震撼力。通过第二次、第三次、第四次的创作，它呈现出来，从传统的几百年以前的说书——一个人拉上一个屏风在里面，只有一把尺子，只有一个惊堂木，那么简单的东西——变成通过麦克风、通过电子化了以后，出来很多的声效，各种各样的变成一个综合性的艺术作品。

我们演过双枪老太婆的故事，是《红岩》里面的一段故事。我们就找了三个人，三个人一起演绎。当时这种节目形式很新鲜，大家看得很过瘾。我扮甫志高，最后要被双枪老太婆打一个巴掌，那个巴掌打到"啪"一下，令全场"哗"一声：以为真的打到我的脸上去了。到现在我的印象都是那么深。三个人有动作，有表情，有不同的人物，这种我们把它叫作群口故事。几个人共同演绎一个故事，其实也是一种表演的形式发展了，也是一种创新。但这只是一个尝试，而不是一个方向。在舞台上，我们的节目就好像变成一个活报剧。不过，在活报剧或者在广播剧，道和白要分清楚，利用道和白的区别来作为故事起承转合的手段。改良表演形式，使表演博取观众一些掌声、一些喜欢，大家一起开心而已。

加入后期的配音，制造一种舞台效果，会不会是粤语讲古未来的一种出路？有没有这种可能？也有可能。我一方面鼓励林劲继续创作好的作品，一方面又泼他的冷水，我觉得他走的不是正道。为什么呢？讲故事要付出代价。林劲付出的代价实在是太大，他后面的收音师为他做后期的合成要付出的代价实在是太大，他们经常是夜以继日地工作，得到的报酬太少了。因为报酬跟劳动代价不成比例，所以不是一条正道，不是现在市场经济允许下的艺术创作。这是一个很现实的问题。讲古作为艺术创作，这条道路是走得通的，作为市场化、市场经济下面的一个艺术创作形式，是没有出路的，这就是矛盾所在，也是我们大家很痛心的事情。林劲为了追求完美的艺术形式，想出很多办法，很庆幸的是他拿着国家的工钱，很庆幸的，他的收音师也是拿着国家给的工资，所以才能创造出来那么优秀的、那么完美的讲古作品。

但他到底还是不是在讲古呢？我们认为的传统的讲古的艺术形式已经没有了。你想一想，我们上学学的课文，里面有一个说书的，只有尺、桌、椅、扇，就可以搞到有声有色。而表演艺术最感人、最震撼的地方也是这样——只有一个人一张嘴，一点点小小的东西辅助一下。其实尺子、扇子也不需要的，他一个人就可以讲到像真的一样。前提是听的人要进入他说书的规定情景，跟着他的情绪走，他就会成功，不需要配上音乐，不需要配上很多很复杂的东西。

霍沛流：“为医者悬壶济世，讲古时口若悬河”

采访者：包莉婷、黄静仪、陈周起、储冬爱、张舜琪、陈晓康、苏经俐、钱怡文、李雯

整理者：周俊浩、包莉婷

受访者：霍沛流，男，1948年出生于广东佛山南海

采访时间：2016年8月19日、2019年1月15日、2019年3月5日

采访地点：东峻广场、新世界凯粤湾

霍沛流

少时痴迷讲古，做过粤剧班主学徒。本职医生，间或到电台跑龙套，受编辑赏识，成为电台业余讲古人。因演播武侠小说，被戏称为“霍大侠”，自评“为医者悬壶济世，讲古时口若悬河”，曾获“长篇故事演播特别贡献奖”（1996年），获评“岭南讲古艺术家”（2016年），昔日谢绝授徒，如今助推传承，一心想让讲古发扬光大。

一　“醉仙”引路，班主授徒

我的祖籍是南海西樵官山，在很小的时候，我就跟随在广州工作的爸爸移居到广州河南。爸爸是生意人，家境良好，我是家中三兄弟中最小的，俗

话说“幺子幺心肝”[1]，因此我最受母亲疼爱。

我家以前住在龙导尾[2]，附近有一条极具水乡特色的河涌，很漂亮，可惜现在沦为下水道了。那时河上依次横跨有漱珠桥、横珠桥、龙珠桥、凤安桥，我还经常在河里游泳。龙导尾附近有一间庙，传闻过去有个赌徒，在一夜败光家产后来到庙里，庙里菩萨显灵，劝诫他不要再赌博，赌徒听了话后果真戒赌，开始做生意，后来慢慢发迹，庙便被称为“不忧庙”。

我第一次听人家讲古就在附近龙船岗下面低地的榕树头那里。当时那个讲古人，每次开讲之前都要先喝酒，直到要醉了才开始讲，颇有意思，所以大家都叫他“醉仙”。“醉仙”是一个光头，身穿大襟男衫、一条灯笼裤，脚踏一双破拖鞋。没有人知道他是哪里人，只知道他每天下午一两点必在龙船岗讲古。他在方形的桌子上安放着一壶酒，讲到口渴的时候就喝一口酒。那时讲古都是讲历史小说，“醉仙”也不例外，他讲过李世民几兄弟的斗争、瓦岗寨起义，还有《隋唐演义》《兴唐传》，等等，故事情节引人入胜。我当时七八岁，穿着一条“孖烟通”（平脚短裤），一下课就跑到大榕树底下听“醉仙”讲古，听得如痴如醉，一刻都舍不得离开。

那时候听古仔不要钱，你喜欢便可以凑在旁边听。以前娱乐活动少，街坊居民都聚在大榕树下听“醉仙”讲古，听完以后若觉得精彩值得，再掏钱。“醉仙”从来不主动向人要钱，有些人会抛给他一个“斗令”，就是五分钱，那时候算挺多的了。

除了听“醉仙”，我经常被喜爱粤剧的爸爸带去看大戏，成了附近戏院联合大戏院、光明大戏院、乐善大戏院、海珠大戏院的常客，从小耳濡目染，粤剧曲艺便成为我的爱好。

我现在是广州市曲艺家协会和越秀区曲艺家协会的一员，除了受家庭和

---

①意指排行最尾的儿子就是心肝宝贝。

②龙导尾街，位于广州，现为龙凤街和南华西街各执一半辖治。

环境的熏陶，童年时还正正经经学习过这一行呢。那时的我，调皮多动，喜欢去撩人家，用广东话说就是“百厌”（调皮捣蛋），但是恰恰大人都会觉得这类小孩比较聪明。有一个粤剧班主留意到我，在我放学打篮球的时候说要收我为徒。他是一个好慈祥的老人家。我从小跟着爸爸看粤剧，早早就学会哼几曲小调，听到班主说每天教粤剧，心里也喜欢这行，于是便跟着班主去了。当时我在同福西路的大诚小学读书，粤剧班主家就在小学附近，每天放学后他就在家里二楼的阳台上教我练唱功、甩水袖、走台步，现在回想起来要数掰 “一字马”最为辛苦了。那时候拜师学艺没有过多讲究，我把妈妈给我买零食的钱拿给班主，当作是学费孝敬他。我学了一年时间后，因为学业放弃了，不过因此我算是有粤曲功底的人啦，后来到专业的粤剧团，很快就上手了。

我在家中排行最小，身材也不高大，常常被人欺负和嘲笑，多得母亲处处维护我。那段遭人嫌弃的历史，便成为日后发愤图强的最大动力，我想要报答母亲，让母亲知道，她最疼爱的儿子是可以有出息的。

二 立志讲古，幸遇伯乐

我在广州市三十三中读中学，1965年7月毕业于广州市文史夜校学院西班牙语专业，和班上二十多名同学一起成为首届毕业生。面对现实的就业问题，我用两年的时间学习科技英语，又用两年时间学习西班牙语，学习语言既可以丰富自己的学识，也方便申请去香港，当时我的伯父在香港的洋行工作。

我白天工作，晚上上夜校，在去农村之前在街道服务站擦过阳伞的伞柄，到宝岗球场铲过泥沙，认识到了生活的艰苦，于是更加刻苦用功学习。我的西班牙语老师是秘鲁人，上课的语言诙谐有趣，给我留下了深刻印象，这对我日后讲古产生了直接影响，我也力求在语言处理上做到生动活泼，让整个故事变得清晰易懂。

那时候电台讲古已经兴起了，坐渡轮过海的时候有人腰上绑着一个半导体收音机，听到最多的是楷叔（张悦楷）的古，《杨家将》《水浒传》等已经可以通过电台听到了。我年幼时听“醉仙”就十分佩服：为什么那么多人都在全神贯注地听他一个人讲古，而且没有任何人跳出来打扰？他有什么魔力能够控制全场，让一帮人像着了迷一样静静听呢？想不到长大后从半导体收音机里听到楷叔、胡千里这些厉害的前辈讲古，又让我兴奋不已，我心里暗想：别人能够说那么好，我为什么不能够说好？况且我还这么年轻！于是下定决心，日后无论如何也要学讲古。从那时我便开始留意和讲古相关的信息。

1973年，我在街上看到了广东省电台业余广播剧演员培训班招收学员的广告，赶紧报名参加。时逢越南战争，考试要求当场模拟听到电台报道越南战况的反应，还要念粤语绕口令。上百人竞争，最后只录取了十人，我反应很迅速，舌头也灵活，最终顺利考入，可谓“百里挑一”。

刚开始进电台时我是跑龙套的，往往整晚只有讲三句话的机会。但是知道自己必须虚心，踏踏实实做好本分。小时候因为调皮讨人厌，受过很多挫折，被妈妈骂、被爸爸打，被自己的亲戚讽刺长这么大还是一事无成，所以我渴望自己有一天能够成才，为父母争口气。我安安分分地等着，就算只有一句话的机会，也向别人学习，把这一句话讲好，展现出语言功底。

有一次我在培训班遇到翟奇达先生，他是和胡千里、陈干臣一辈的早期讲古艺术家。当时我从录音室走出去，翟先生从录音室外走进来。我进去录音室一整个晚上，才录了几句话而已，情绪可能比较低落，翟老师并不认识我，但还是去安慰鼓励这样一个无名小辈，他对我说：“你进了录音室，不要怕，淡定一点，将自己投身到故事里去，其他什么干扰都不要理。你什么都不用管，一有故事人物你就扮鬼扮马，不要怕，这样观众就听得入神了。”简单几句话，令我又想到小时候听“醉仙”讲古时的情形，受益匪浅。

也许是机缘巧合，我日后真的成为一个讲古佬。一位叫杨书渔的编辑觉得我有讲古的天赋，成了我的伯乐，他让我讲短篇小说，第一篇小说叫《瑶山春》，之后是《你在想什么》。杨编辑觉得我讲得还不错，接着让我讲中篇，继而讲长篇，后来一发不可收拾。

现在我印象最深的一篇讲古是《姜子牙直钩钓鱼》，人们都觉得他八十岁了还用直钩，怎么可能钓得到鱼呢。一个人得不得志，有无才气，有没有人看重你，是要看你自己是不是有料（有实力），要真的有料，才有人愿意找你。

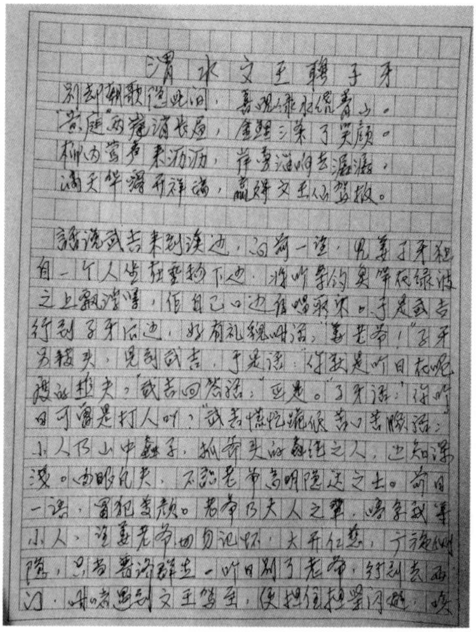
渭水文王聘子牙

霍沛流手稿《渭水文王聘子牙》第1页

三　"说话"打通了行医、讲古两个职业

我的本职是医生，讲古只是我的第二职业。

在我十几岁的时候，爸爸患上了高血压，引发脑血管病，落下了手脚不灵活的毛病，这成为我学医最根本的原因。当时请来的中医，每开一张药单就要收十元钱，药单上不过写了两味药。那时的十元钱是一笔不小的支出啊！我对此十分敏感、气愤，激发了学医的斗志。我的舅舅是开西药房的，爷爷会功夫也懂得医治跌打损伤，估计我血液里也有着医学细胞吧。

我从1979年取得医师资格一直到现在都还是医生，讲古作为兴趣成为第二职业后，对生活、工作都有帮助。我为社区街坊举办医学知识讲座，特别受街坊们欢迎，他们觉得新奇有趣，就像听现场讲古一样有意思。病人来看病时要告诉我身体哪里不舒服，我作为医生，除了精确地诊断出病症，讲解他的病情，还需要开导他。和患者沟通实际上就是一种语言交流。

我也很喜欢去街市听那些买卖人讲话，在广州长大的我，对这种“市井味”情有独钟。市场上买东西的人讨价还价，是为了买到既便宜又好的东西，这时会用尽自己最好的语言说服别人，粤语的生活用语表达风味十足，这样我就能从中学到东西。我曾听一个退休老工人讲：“铁无返工之力，人无过后之恩。”就是说铁弯曲了，不能返工重做；人呢，在求别人帮忙的时候会说日后报答，但是过后就什么都忘了。生活用语里处处是金句，我逛市场的时候特别用心捕捉这些俗语、歇后语，然后记录整理下来，比如“湿水榄——两头尖”“落雨担遮——死撑”“竹篮打水——一场空”“大花脸抹眼泪——离行离捺”“火烧旗杆——长叹（炭）”，比如猫捉老鼠是正常的，狗捉老鼠就是多管闲事，这些很有意思，所以我写了一本《古今歇后语》。这些生活当中的歇后语、俗语、成语，对讲古是很有帮助的，我一提上句，观众便知道我的下句，于是无形中有了互动。

我家里收藏了满满一柜子的公仔书，为什么收藏了那么多呢？因为我需要这些故事素材。一个讲古人要讲得好，除了有一定的文化修养外，还要努力吸取更多的素材。不要看公仔书只是小小一本，里面有精彩的图画。我们可以透过画家的创作看出那些人物的具体的形象，看出他是正面人物还是反面人物。我通过公仔书来记忆人物的模样，打造人物，讲古的时候边讲边回忆，人物的形象就出来了；同时想象力会日渐丰富，讲古的效果也就更加好。

我不喜欢去旅游，喜欢一个人静静地坐在家里的地上，欣赏收藏的公仔书。这种“不务正业”的行为时常受到妻子批评，在霍太太眼里，这些纸堆给家里的卫生清洁造成了极大不便。

听过我讲古的人都知道，我讲古以小说为主，比较喜欢古典小说，包括历史小说和武侠小说，在电台的讲古佬里，应该是讲了最多小说的一个人。这么多小说里最难的就是2000年播出的《封神演义》，我对它的印象最深刻，因为录制过程最辛苦。

《封神演义》讲的是商朝末年，纣王被九尾狐狸精、九头雉鸡精和玉石琵琶精三大妖精迷惑，导致天下大乱、民不聊生，于是姜子牙出山辅助周武王打天下。这个故事里面人物众多，一个人可以关联很多情节，所以我首先得理清那些人物究竟是忠的还是奸的，这时收集的公仔书正好帮上忙。知道周武王、姜子牙一派是好的，申公豹、妲己一派是坏的，之后讲古就容易了。一个人的声音怎么体现正反忠奸呢？奸角的声音自然会尖，忠角则浑厚有力。讲古人的声音需要很醇厚，这样才有创造力。我在讲古前还查了许多资料，包括历史背景和民间传说，甚至还特意向读书时的历史老师请教，找粤剧编剧、文史专家请教。讲古不能误人子弟，因为别人一听就知道有没有出错。历史的故事更需严谨，总不能把明朝的人物说成商朝的。就是这样一个过程下来我学习了很多文史知识，提高了文学素养。

四　二度创作决定说书粤语化的成败

我从1975年开始在电台讲古以来一向很注重整体录音效果。现场面对观众讲，可以用肢体语言把动作做出来，观众会觉得这样更加精彩，但是在录音室就只能靠自己的声音把那些场面表现出来，通过人物声音的变化来改变人的身份，比如，“哎呀，太太啊，我真是不得了，我口好干啊，想喝茶”，“好啦好啦，我就斟点茶你饮啦”，这样就是一个男声和一个女声的对话。在录音室，别人看不到我们的形象，我们只能靠麦克风传送的声音塑造不同的人物形象，另外要突出主要情节，这样才能吸引听众。我声线较差，录音时得尽量压低声音，如果我认为录得不好，就会立刻要求删掉这一段重新录制。监制和编辑都坐在录音室外面，他们不仅看你到底有没有讲错，还会看你讲的是不是合情理的。听众也是重要的“把关人”，他们知道故事梗概，很容易就能发现我们有没有讲错。

不管是电台讲古还是书场讲古，一定要做好二度创作。所谓的二度创作是将书本故事粤语化的过程。假如一本小说有十万字，翻译成白话便不止十万字了，要删掉枝叶，再进行润色。对每一本小说都有自己的脉络，每一本小说的人物都要分析清楚。张悦楷就厉害在吐字清晰，将每个情节都交代得很清楚。有一句话很受用：当断不能乱。其实不可能第一次看小说就着手删除情节了，首先要把小说看三四遍，清楚每一章节的脉络、情节发展，跟脉络关系不大的情节该删便删。又因讲古是长期积累的过程，删改和翻译文稿需要经验，分清主次，就像看病，对腹痛的病人，要搞清楚是肝胆有问题，还是急性肠胃炎，明明是肝胆问题，却当成肠胃炎来医治，那便是医疗事故了。二度创作是很辛苦的，我讲了超过四十篇小说，不知道抄写了多少万字，家里保存着厚厚的一摞文稿。我在每一本讲过的书上都做满了批注，自己清清楚楚，听众才会明明白白。

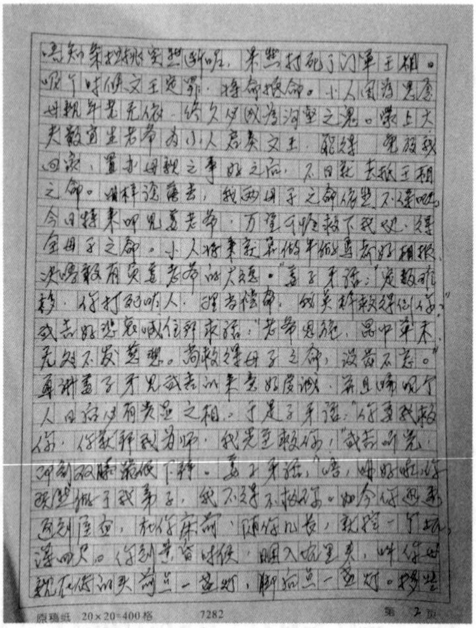

霍沛流手稿《渭水文王聘子牙》第2页

至于每位讲古人自身的特色，那就得看导演和编辑的设计了，他们要我讲什么我就要去找相关的稿子。我自己也会找一些作品来改编，要看听众喜欢什么类型的故事，比如要我讲《西游记》，我会请年轻人上网查资料，资料要够精彩。如果我不熟悉《三打白骨精》这个题材，就需要变通一下，可以改讲孙悟空怎样三进芭蕉洞，怎样取芭蕉扇，怎样跟牛魔王打交道。但并不是你喜欢这故事，就可以选择它，得先给编辑看，编辑可能会说你不是这个类型，不适合讲这个故事。

讲《红楼梦》有名的，就是冼碧莹；张悦楷，比较有名的作品是《三国演义》《水浒传》和《西游记》等名著；我有名的就是《封神演义》《封神榜》《姜子牙传》这几部书。若让冼碧莹讲姜子牙，她的特色就没有我的鲜明，但若让我讲《红楼梦》，我就讲得没有她这么好。

有些故事被很多大师讲过，而且讲得很好，比如《桃园三结义》。如果大家想听我来讲这个故事，我会用自己的风格去讲，与其他讲古人的具体差别是在声音、停顿和运气方式上。在电台，只要知道别人讲过这本书了，我就不会再讲了，因为要相互尊重。

有人问："一个讲古人怎么可能有那么多变化？"全情投入！还有，讲古人需要有一种形象思维，这一点很关键。录音房里只有你一个人，当你备足了功课，材料摆在桌上，麦克风支在那里，外面一喊开始，人马上进入状态，整个人置身于小说里，怎么讲怎么说就是自然而然的了。

讲古这么多年，为什么别人都叫我"霍大侠"而不是"霍医生"啊？因为我讲的一般是案件，《五虎平西》《五虎平南》《林海雪原》和梁羽生的故事，有关忠义、豪气。我的性格也豪爽直率，喜欢就喜欢，不喜欢就不喜欢，是就是，不是就不是，这跟讲古是有关系的，二者相辅相成，身上或许体现了一种大侠精神。

工作上尽最大努力治好每一位病人，看着患者康复，心里会有一种满足感，在录音棚里同样精益求精。一个人要做好一件事，一定要经过艰苦的努力，一帆风顺做不出好东西，遇到挫折之后要想怎么克服，克服之后才能达到自己的目的。

在电台录制讲古节目（20世纪90年代）

五 “古”道恩情重

1996年我转战南海电台，到2005年录播了《樊梨花招亲》《乾隆皇下江南》《西江双星》《卧虎藏龙》《长城大侠》《剑网尘丝》六部小说。当时我是三汽公司医务所的所长，医务所在西华路尾，家在罗冲围。我从医务所下班后，5点30分骑摩托车出发，大概6点15分到南海电台，花半小时吃饭，7点半准时去录音。每次录音大约两个小时录三段故事，一段的播放时长大概是23分钟，录完后，10点40分左右从南海回到罗冲围。

有一次（忘了是录《乾隆皇下江南》还是《西江双星》的时候），正在下大雨，南海电台的两个台长走来跟我说：“下很大雨啊，霍沛流你不要回去了，今晚就在这里吧。”我说：“不行！明天早上还要上班。”于是，我录音后披着雨衣骑摩托车回罗冲围了。

这样风里来雨里去的日子很艰苦，幸得妻子对我的事业十分支持。她是有文化的人，口头上说让我注重身体，但她也知道，要成就一件事情，不付出努力不付出汗水是不会成功的。那时我的女儿才不过六岁，全靠妻子照顾她，我怎么不感谢呢？我还没开始讲古，爸爸就去世了。妈妈是看着我参加电台的学习班，不久后也去世了，我很内疚，认为自己没有办法孝敬她。

因为过去的磨难，我诚恳低调地做一个好医生，作为一个文化艺术传播者，在录音棚里我战战兢兢地讲古。我多年来有赖前辈同行的支持和指导，不然就只能永远停留在那个台阶上。回想在位于人民北路的省电台培训班里，有林兆明、张悦楷、缪燕飞等前辈亲自为我们上课。多年过去，当时翟奇达老师安慰我的情形同样历历在目。我经常听楷叔、标叔讲古，吸取他们的优点，向他们学习，琢磨为什么他们的作品受大众欢迎。楷叔讲古层次分明，吐字清晰，人物形象鲜明；明伯也是这样，人家一听见猪八戒的一句“哥哥啊”就知道是林兆明了，还有孙悟空的“啧啧啧”，只是这两样，便足以在后世长久流传。

老一辈的讲古人对我无比关怀。明伯在世时，我常去星河湾向他请教语言艺术的问题，一起研究粤语某字的正音。张悦楷、林兆明、李我、缪燕飞、吴元标等前辈的指点增添了我讲古的勇气和信心，和同行的交流也丰富了我讲古的经验。

现在讲古人大多上了年纪，但仍谦虚不张扬，踏实做事。缪姨（缪燕飞）身体不太好，她两个膝关节置换了人工的膝关节，行走不方便，但现在还不辞辛劳地去参加各地举办的讲古活动，八十岁的老人家到现场当评委，不容易啊！她收了小孩子做徒弟，在家为他们上课，学生参加云山讲古比赛，取得了不错的成绩。佛山的吴元标为人严谨，他演戏很厉害，我们过去在南海电台合作过，私交甚好。

我最早是在广东电台出道的，后来讲多了，去了广州电台，最后在南海电台。南海电台之后为我开了讲古三十周年庆祝会，当时讲古届同行齐聚一堂，颜志图对我说："哎呀，霍沛流，你会那招：从农村包围城市啊，从农村杀回来！"因为那时广州台已经很少播放粤语讲古节目了，我在南海台发展，而且发展得很好。当时还有幸和张悦楷、林兆明、梁锦辉一起领奖，真

与"长篇故事演播特别贡献奖"牌匾合影（1996年）

是我讲古最辉煌得意的时候。

2009年1月广东省电视台岭南戏曲频道邀请我拍摄《梨园飘香》节目，讲述粤剧大老倌的故事，在此期间我有幸得到和粤剧界老倌们接触的机会，他们为我提供了不少粤剧戏曲的典故，丰富了我讲古的素材。我2013年6月当选广州市曲艺家协会理事；2016年4月，获颁珠江经济广播电台“岭南讲古艺术家”称号，因此更加深切地感到自己应该为文艺事业贡献微薄的力量，仍然希望有机会继续讲古，再讲好的小说。我不求出名，只觉得应该让“讲故事”发扬光大。人们可以通过听讲古既消遣时间又了解历史，这是很重要的，比如听《三国演义》就了解汉朝，听《狄青三取珍珠旗》，了解在取旗的途中遇到什么困难和阻力，最终成功取旗的全过程。我们通过故事学到做人的原则，该做的做，不该做的不做，值得高兴的时候高兴，不值得时就沉住气。一个人可以通过一个故事吸收很多东西，一个简单的小品也有很多东西可以学。我对粤剧的感情同样深厚，儿时自知不是成为台上戏角的料，真切希望这门艺术也能够后继有人。同时我十分感恩，很珍惜自己的这份荣耀。我第一感谢媒体和电台给予我发展的机会和施展拳脚的平台，发现我这样的潜力，一直激励我前行；第二感谢前辈的栽培教诲，是他们教会我怎么整理长篇稿子；第三是感谢同行的帮助和支持。讲古的经历虽然艰辛，但同时也让我充满了激情和活力，我是一个有根的人，所以更要懂得感恩。

六 为何一直拒绝授徒？

现在电台讲古不兴盛了，App出现后，比如像喜马拉雅（网络在线音频分享平台），很符合年轻人的生活方式，方便大家，我在家里就能录，然后拿到电台播出来，这样电台的成本也没那么高了，毕竟制作、录音、录音员、录音室、监制都是要成本的。对于现在的讲古人而言，他们应该既掌握以前那一套语言，也要融入现代的语言，适当加入现代一些新潮的词汇，这样故事才有张力和吸引力，才能争取到更多的年轻听众，但完全使用新潮的语言，讲古就变味了。

虽然网络讲古这种方式对于传承讲古很有帮助，迎合了许多年轻人的生活习惯，但我不赞同这是一种创新，仍觉得传统的讲古不能丢。我们传承讲古，主要继承和发展的就是讲故事的素质和特色，现在的林和西街在恢复以前的洋楼等古建筑，其实就是复古。我们可以在前人的基础上再创作，但不能丢掉以前的东西。

讲古中的"古"是指过去的故事，需要有历史韵味，但讲古也不应该被这个"古"限制。如今讲古都还只是一个人一把声音讲，需要创新，可以适当地配一些音乐，因为总是一个人讲，很难有观众一直听下去，穿插的音乐可以松弛人的精神。之前我录制的广播剧，把流水声、跑马声、打斗声录入里面，增强效果。除此，还可以在不同的地方多设立讲古坛，多培养新苗子，新老讲古人要多合作。我还有一个观点，我们这些讲故事的人能够当场发挥，当场发挥是什么意思呢？比如我遇到了好人好事，马上就可以讲，不用写稿。

这些年我总结了三条讲古的经验：第一要虚心，向前辈学习；第二要在前人的基础上不断创新，不要总是走旧路；第三要做足案头工作，这是不可

霍沛流现场授徒
（2019年6月31日）

商量的，必须把书面语言翻译成粤语。想想林兆明老师，八十岁高龄还在录制《明朝那些事儿》，那么大年纪一样写案头翻译，年轻人有什么理由不把它做好？

曾经有两个年轻姑娘说要拜我为师，她们本身都有工作，一个是电话客服，一个是公司会计，打算放弃原来的职业一心一意学讲古。难得年轻人还有这份心，她们愿意学讲古，我当然也乐意教，但是想到如今粤语讲古式微，以后我没有能力为她们提供职业发展平台，无法让她们有一份稳定的职业来施展兴趣和才干。尽管她们的诚意打动了我，但我在考量之后还是婉言拒绝了她们。我虽然满怀希望，但是考虑到现实，总免不了悲观。粤语讲古市场消失后，她们该如何维持生计？现在仅仅靠讲古是不够“吃饭的”，医生等职业不一样，是稳定的工作，能够养活自己。假如当年我做了职业讲古人，现在恐怕早已失业了。我对讲古有一份使命感和沉甸甸的热爱，有机会还是愿意讲古。

我很希望我的孙女能够继承讲古，但她像她的妈妈，数学好，不喜欢文学和艺术，也不爱看我收藏的公仔书，兴趣不在这里。收徒还是要根据人的条件，学讲古的一定要有兴趣，不然讲不了，喜欢的话，多长的故事都能一下子记住。

以前有人想要我收徒，我没有收，现在反而想收了。

梁锦辉："快意人生"的讲古

采访者：储冬爱、陈周起、肖嘉怡

整理者：邓绮静

受访者：梁锦辉，男，1951年出生于广州

采访时间：2020年6月19日

采访方式：腾讯会议（线上）

梁锦辉

话剧演员，新派武侠小说讲古人代表，在多部电影、电视剧中担任粤语配音导演，从艺经历丰富。出身于工人家庭，从零开始艺术之路，自称"一张白纸好写字"，善于将生活融入艺术创作，认为"表演要走自己的路"。擅长改编小说，语言技能出众，代表讲古作品有《射雕英雄传》《神雕侠侣》《雍正皇帝》等，讲古风格独特，"充满市井气息"，深受观众好评。

一 市井中长大

1951年底，我出生在广州市珠江路的一个工人家庭。珠江路位于广州的老城区，旁边就是八旗二马路，再远一些就是天字码头、海珠桥，另一边就是北京路、文明路。我一直在珠江路度过童年。那里中下阶层居多，因此我

自小就看惯了市井人物，这些成为我的生活积累，对我以后的讲古生涯有深远的影响。

我小学毕业之后到广州市第五十一中学读初中，即后来的华侨中学。广州市第五十一中学位于瘦狗岭一带，之前是一所水利学院，里面基本是大专学校的教学设施，条件相当好。我们家的五个孩子（一个姐姐三个妹妹，我是独子，排第二）都在那里寄宿，那是我青少年时期最开心的一件事。因为在那里寄宿，有的吃有的玩，学习有老师教，自修时有老师监督，睡觉时又有宿舍老师管着，很开心。

那个时候，我们是（闹）铃响了一起起床的，不准提前起来，在6:30左右起床。整个宿舍的同学一起起床，一出来就能听到广播喇叭在播那几首革命歌，《马儿啊，你慢些走》之类。我曾在中山路长江乐器店——当时全广州市唯一一间乐器店，买了一支短短的竹箫，自己学着吹那几首歌。

我少年时代的生活很自由，无拘无束，没有接受很严格的家庭教育。我妈妈是车间工人，还是生产小组长，在厂里是积极劳动分子，经常很晚才回家。我爸爸是货车司机，经常出差。他们工作很忙，基本没什么时间管我们，生活上全凭我们五个孩子自觉。那个年代的中下阶层家庭都不像现在这样注重孩子的教育。学习考试5分制，我们考到3分就行了。这样的环境养成了我自由自在、想做什么就做什么的性格。

在我读初一的时候，我爸爸分到了宿舍，在河南的立园新村，我就申请回河南的市二十六中读初二，直到毕业。

1968年，全国掀起知青上山下乡浪潮，我插队落户到顺德的北滘公社林头大队做知青。在此之前，我都是与艺术无缘的，因为我们家没有人搞艺术。在我的艺术诱因里，没有家庭因素。在插队落户的五年里，我在言语宣传队做了两年。那时候的宣传队也只是随便表演，唱首歌，唱个样板戏，拉两下二胡，没有人真的会专业表演。

后来广东艺术学校面向全省招生，那里的人居然找到了我。可能是因为在公社时或其他时候我是活动积极分子，所以就去我的生产队、我住的地方找我，叫我去考试。我在1973年考入了广东艺术学校，1977年被分配到广东话剧院（前身是广东话剧团）。话剧团有两个队，一个是广州话队，一个是普通话队。我呢，就在广州话队，因为我学的专业是广州话。就这样，我开始走上文艺的道路。

二 "一张白纸"：从零开始的艺术人生

当时广东艺术学校的人来北滘公社，说要为歌舞团、粤剧表演班、话剧表演班招人。广东艺术学校由三个省团合并而成，1973年相当于广东艺术学校开学的第一年，曹秀琴[①]、郭凤女[②]就是和我们同一年招进来的。培训设在话剧团，由话剧团的老师教授。我们要在读完书、通过考试之后，才能被分配到省内各地工作。有些人去了肇庆的话剧团，而我留在了广东话剧团。

我是另类的，因为我刚进去的时候只会唱歌，其他什么基础也没有。我虽然没有受多少艺术熏陶，但很喜欢体育活动，在五项球类和游泳上，都玩得很好，锻炼了我的身体和气量。在考试的时候，一共有10个考官，他们知道我没有艺术底子，就让我读了张报纸、唱了首《大海航行靠舵手》、做了段广播操、打了套长拳。然后有考官问我："你有没有准备什么小品呀？"然后我就说："我哪会啊？"有位主考官就说要考考我，她说："（假设）那里有一张桌子，桌子上面有一个水壶，有个茶杯盘，你从那个水壶里倒杯茶给我看看吧。"那里没有实物，我也不会，她说什么我就照做。我倒完水之后，她接着说："啊？就这样吗？你要喝水是因为什么才喝啊？"然后我就想象自己从田地收工回来，满头大汗，我擦了擦汗，支支整整（摆弄了一

---

①曹秀琴，女，国家一级演员，粤剧表演艺术家，正印花旦，广东粤剧院原副院长，著名粤剧表演艺术家红线女的学生。代表作有《百花公主》《锦伞夫人》。

②郭凤女，女，国家一级演员，正印花旦，著名粤剧表演艺术家红线女的学生，红派艺术的传人。代表作有《柴房自叹》。

番），把茶拿起来就“咕噜咕噜”地喝了。表演完之后她就跟我说：“你可以根据想象马上就做出反应，这就是你自己的东西。”她说行了，我就走了，后来我收到了录取通知。

当时我很困惑他们为什么会要我，因为我话剧、小品什么都不会。在那个年代，文化活动是很贫乏的，收音机我连听都没有听过。入学后和同学们交流得知他们考的内容我都不会，他们都说考试气氛很紧张，我真的觉得很意外。后来我才知道，那个主考官原来是中央戏剧学院表演系的教授，听说以前还是系主任，跟着丈夫来了南方，进了广东话剧团，做了教师。我当时还什么都不知道，就被她要（招收）了，被广东艺术学校录取了。后来一想，大概是因为她在考试的过程中和我谈话，启发我，了解了我这个人的性格还有看待问题和面对困难的态度。她可能是觉得，就算我的条件差，但她还是有能力塑造我的。这就是她的过人之处。事实上她也没有看错人。

她是主考我的教授，亦是学校教学组的老师，后来成了我的学业恩师，在话剧团里很多大牌的演员都要喊她一声徐老师。她的教学方式非常独特，要求我们上课和排练到一定程度时就汇报演出。在那个年代这种文艺活动是很少的，我们是专业团体，做这种文艺演出（短话剧、诗朗诵等）会吸引很多人。本团的演员、外面的同行，或者是电台的人都会过来看，他们把这些当作是一种娱乐。那时候我们做出来的东西，肯定是不成熟的。有很多好心人看完之后会跟我们讲哪里做得不好。但是在上课的时候，徐老师和我们说：“所有的这些东西你们都不要听！你们在塑造的人物角色还没有成熟的时候，还在摸索阶段，就不要随意地听别人的意见。张三说好就听张三的，李四说好就听李四的，那就影响了你自己的判断。既然你依照剧本分析、设计好了，就要对自己有信心。每一次都要用心去体会总结，这样塑造的人物才会有自己的东西，才是属于你自己的。”

徐老师经常提起我，对那些同学讲：“（梁锦辉）这个人呢，就一张白纸，好写字。”我永远都会记得她说的这番话。我的很多同学是来自海南知青兵团或者湛江兵团宣传队的，他们的文艺基础相当好。她不亲络他们，反而拿我来做榜样，为什么呢？因为他们在以前已经形成固有的表演范式，有不好的习惯很难改。反而我呢，什么都没有，（老师）讲什么我就接受什么，所以说我是一张白纸——好写字。

这是徐老师的教育方式，我在此后的创作中也理解到：在艺术的道路上要有自己的东西，千万不要过多地模仿别人。创作上我需要自由，自己想到的都尽量去做到、做好，不让别人说的话或者别的事物左右到自己。我讲古讲了这么多年，真的一点都没有张悦楷和林兆明的影子。实际上这两个人都是话剧团的人，都在我身边，和我亦师亦友。无论在话剧团还是在学校的时候，我整天和他们一起玩，但我在讲古上没有学他们。我可能是受徐老师的影响很深很深，所以我很喜欢走自己的路，所有事情都有我自己的想法。

艺术一定要有自己的东西，我认为这是一个真理。

三　电台讲古：开创新派武侠小说先河

以前就只有一个电台——广东电台。不要说去讲古了，只要能在电台上朗诵一首诗，朗诵一段文字，都不得了了。当时的电台只有一些文娱节目。在一次艺术学校的文艺演出时，恰好有电台的人过来，他们对我们的表演很上心。表演完后，他们找到了我，想请我录播。其实我来艺术学校没多久，大概一年多。所以当时心里想：我能去做些什么呢？后来他们发稿给我，问我什么时候去录诗歌。我准备好了就约时间去电台录，录好的诗歌之后在一个叫《文学海洋》的栏目播出。我刚和电台接触应该是1974年、1975年，当时还没有《小说连播》，我就一路在《文学海洋》里录播作品，一开始有很多散文、诗歌之类的，后来有小故事——但就只有革命题材的小故事，其他的内容是不准播出的。

到改革开放初期，《人民文学》刊登了一期《故土》，后来这个小说还拍成电影了。《故土》一出，电台的节目内容就开始慢慢开放。讲中篇小说之前一直是在《文学海洋》，后来放在《小说连播》。电台当时有一个文学组、一个戏曲组，以这两个组为主。一有《小说连播》这个栏目，我就在这个栏目讲《故土》《苦儿流浪记》《聊斋》等作品。大概是1987年、1988年，电台给了一部《射雕英雄传》让我讲，当时我整个心都震了，心想：哇，这部书居然给我讲！当时张悦楷、林兆明在讲《西游记》《三国演义》《水浒传》这些传统的小说，而新派武侠小说居然给到我，实在是太惊喜了！

在20世纪七八十年代，国家不允许港台书籍进入内地（大陆）。在讲《射雕英雄传》之前，我去了一趟广州图书馆，想借这一类的书籍来看，但是在大众阅览室里面没有。我一问工作人员，他们说有，但是在特别的阅览室，需要非常多的手续和证明才能进去看，起码要处级以上的干部才能有资格进去。所以说，我突然接到这样的一套书，我能不激动吗？广东电台是开创先河，而我是最先开始讲新派武侠小说的。金庸的小说我是第一个讲的，后来的新派武侠小说也都是由我第一个讲的。

那广东电台为什么要安排我去讲新派武侠小说呢——这么重要的，而且是开创先河的工作？这里面有很多方面的考虑。如果让那些年纪大的人来讲，那要怎么表现郭靖和黄蓉呢？光是郭靖的声音，都难以让别人信服。我当年的声音比较年轻，符合郭靖的声音的特点。我起码与角色年龄相近，且用词比较生活化，符合新派武侠小说的风格。一般来说，新派武侠小说台词比传统的武侠小说流畅、现实很多。为什么是新派武侠小说，就是因为它用现代人的思维推理分析，融入小说的人物里面。这就使得现代人喜欢看，喜欢听，因为它符合现代人的审美。我讲完《射雕英雄传》之后讲《神雕侠侣》，非常火爆。因为我本身演话剧，有分析剧本的能力，也能改编人物，所以我就按照自己的想法，让情节更加集中。因为我讲得好，听众觉得太短听不够，很多人都来信，希望我继续讲，非常心急。但从我专业的角度来看，如果不能集中讲剧情的话，那是讲不好的。很多人不是天天围着收音机听的，如果今天讲一下杨过，过很久都没有杨过出现，听众就会以为我换了其他书来讲。

讲古要二度创作，不是说书上怎么说你就怎么讲。二度创作是非常关键的，剧本到了你这个演讲人的手上，就以你的理解来阐述这件事。照书讲肯定没错，编辑也不会骂你错。但是我喜欢二度创作，喜欢怎么讲就怎么讲，很自由，编辑从来不会管我们。我讲得入迷的时候，还会把自己绕进去，有时候没有办法看稿，嘴巴比稿子还快，一直不停地讲。

再后来我辗转几个电台讲古。像我们这种资历的，只要去讲，电台都是欢迎的。我们就和电台说自己带书过去，要讲什么他们基本都会同意。我们知道市场需要什么，而且我们本身就是学话剧专业的，又整天在长篇小说里面浸淫，一有好的书出现，我们第一时间就能拿到。我一直在留意这个市场，像二月河写的《康熙大帝》《雍正皇帝》《乾隆皇帝》三部书一出，我就知道它们是非常好的作品。当时我在广州电台讲《康熙大帝》《雍正皇帝》的时候，它们都还没被拿去拍电视。在电台工作中，除了《射雕英雄传》和《神雕侠侣》两部是电台安排的，其他几十部书都是我自己选的，选出来的书都相当受欢迎。文本本身很优秀，加上我自己的技巧，作品就可以留下来了。有些人录的讲书作品不好听，播不出来，又或者播出后，反响不热烈，没有广告找上门广告，而好听的那些讲古栏目就有很多广告。后来佛山台喊了楷叔去开《小说连播》，但是楷叔一个人搞不定，他们马上就请我去讲，我就带着一套《刘金定大战南唐》过去。《刘金定大战南唐》在播出之后，佛山当地人都称赞好听。他们就一定要我在佛山台继续讲下去，于是我就接着讲梁羽生的《萍踪侠影》。后来广州电台开了一个新的栏目，又把我叫回去了。他们知道《小说连播》是很受欢迎的，所以一开这个新栏目，就要把我请回去第一个开讲。有一个人在广东电台文学组，后来去了广州电台搞文学，他认识我，就把我拉去了广州电台，帮他开这个栏目，我自己也觉得好合拍！栏目播出后收听率特别高，当时电台有记录收听率的表，他们发现全台最高的、突然飙升的收听率是来自这个新开的栏目。台长觉得很神奇，让我一定要留在广州台讲，要和我签长约。我说这是不可能的，因为我出身在广东电台，如果广东电台叫我回去的话，我还是会回去讲。然后他就

电台讲古（在电台录制长篇小说《说岳全传》，约摄于2006年）

说："无所谓啦，你就同我一直撑住（一直做下去）啦！"这个栏目在广州电台排的广告非常多，多到要"走后门"才能在那个时段播出。节目刚刚开始的时候，是录30分钟的，后来因为广告太多了，节目就录20分钟。电台赚多少钱呢？如果电台不赚那么多钱，它怎么会这么用心去办这个栏目呢？可见我们对电台的贡献也是很大的。

四　好的作品加讲者成就好的讲古

讲古要选好书。一部好的作品，怎会不令你产生共鸣呢？讲古人没有共鸣，就不会有创作的热情。我一定会在这部作品里面找到对自己有用的东西，看到自己未到位（做得不好）的东西。这么出色的作家写出来的东西，一定有它的魅力和根据。如果你有机会阅读、演绎到这么优秀的作品，是很受益的。人通过阅读作品就已经受益匪浅，更不要说讲出来了。因为只有研究、分析它，深入它的最深层，才能够将它活灵活现地讲出来。比如《射雕英雄传》的郭靖，他是一个很憨厚、很无知的少年，一点人情世故都不懂，但是他后来成为一个豪义武侠、天下第一高手。他在拜师学艺的过程中，没有要求自己要学得怎么样，要有多能打，而是抱着顺其自然和坚忍不拔的态度——对我很有启发。

讲一个好的故事，最重要的两大要素，一个是讲古人的文学修养，另外一个是讲古人的综合素质。文学修养就决定了你能否判断作品的好坏，以及你怎么样处理。一个人的综合素质，包括声音、气魄等。如果你的声音不好，那你就没有办法表现好角色。要成为一个好的讲古艺人，是需要很多修养的，并不是那么容易的。我确实在综合素质方面比较有优势。首先我比较爱好体育活动。我的身体灵活度和头脑反应是在体育这方面锻炼出来的。比如说踢足球，我在运球的时候可以转来转去。这种随机应变的能力是综合素质的一种。如果让我去招生，我也是看综合素质的。只要这个人综合素质好，他的底子就好，不懂方法的话我可以教。

讲古还有一个关键就是真心投入作品。讲一件事情，如果你是身临其境去讲给别人听，那别人会很喜欢听。如果你是泛泛地讲给别人听，无所谓的样子，那人家当然觉得不好听啦——你都不上心。

一个好的讲古作品，有赖于讲古人的二度创作，但最根本的还是作品本身的生命力。自从我录了《射雕英雄传》之后就变得很受欢迎。一来是作品本身好，很新颖，新派武侠小说里面的情节紧凑、人物性格鲜明，想象力天马行空，很符合现代人口味。与传统武侠小说有很大的区别，新派武侠小说里面刻画复杂多样的人物、人生，通过人物的行为编情节。按照人物的性格、思想、行为，慢慢地铺排情节，让你觉得它很合理、很人性化，因为它是按照一个人的思维动作产生情节的。比如《神雕侠侣》里面的杨过。新派武侠小说的情节比传统武侠小说的更加合理，好听很多。后来我就专门去讲新派武侠小说了。

好的作品要经过精心挑选，除了要内容好，还要传递积极的社会意义。很多观众的鉴别能力不强，所以作为讲古人要做好作品的挑选。我还记得多年前在电台工作的一天，领导叫住我：“嘿，梁锦辉！我被你害死啊！”我说：“什么事啊？领导，不要吓我啊！”“哎呀！你知不知道啊，我儿子……”他的儿子好像在读四年级，“前阵子，一放学，十一点多跑回家。一回到家，手又不洗，饭又不吃，打开收音机，就趴在那里听你的《射雕英雄传》。好了，听完就算啦，该吃饭了。到晚上六点钟呢，本来在做功课或者在玩的，（时间到了）就扑（形容心情迫切地跑）出来，又打开收音机，听六点钟到六点半那一轮（讲古），日日如是。”某一天，领导和儿子说：“这样是不行的喔。这样听法，没心机学习，又浪费时间，又耽误吃饭，要么你就听中午十二点钟那一轮，不听晚上六点钟的；要么你就听晚上六点钟那轮，不听十二点钟的。”他儿子就说：“爸爸，你这样的说法要戒了。”搞到他爸爸都忍不住笑了：“你这番话在哪里学的？”“梁锦辉的污七公（洪七公）经常讲的啦！”又过了一段时间，他发现儿子写的作文竟然还写得不错。又见老师评语“人物语言生动”。看来让小孩子听讲古，对学习还是很有益处的。领导拿自己的儿子说这件事，“喂，你真的要读多点书啊”。这件事让我反思：我是不是应该讲得好一点，做得好一点呢？因为很多人在不知觉间和知觉间都受到我的影响。有这样的一份责任，我是不是应该要选择一些好的题材讲给观众听呢？寓教于乐，一定要宣扬好的，这样别人才能受益。

五　讲古与“我的快意人生”

艺术就是源于生活，高于生活，首先你要有生活。

虽然我自小没有任何文艺的引导，但是各色人物的成长经历给我留下了很深刻的印象。市井各种各样的人，我都接触过。比如说老板娘，我们是喊“事头婆”。这是地道的语言，语言需要有积累。

在声音的塑造上，我有很多经历。我配音、配广告解说词、朗诵散文、朗诵诗歌。像配广告的解说词，要带得很好、很稳，在人物塑造方面，我配音配了几百部作品，还做过配音导演。对各种各样的人物，我都要先理解，才讲给演员听。配音不是一件简单的事情，很多厉害的演员在配音面前都要举手投降。于我而言，自身丰富的艺术实践运用在讲古上，可谓是信手拈来。记得在我讲《雍正皇帝》的时候，电台里面的人都说好听，像真的做皇帝一样，这是因为我的声音本来就很霸气。那时我三四十岁，正值壮年，声音与角色的契合度很高。我一直专注于语言艺术工作，不断打磨自己的作品，对于它们我还是很有信心的。

秋游（约摄于1991年，左起梁锦辉、林兆明、张悦楷）

我的性格大概是让我对讲古保持创作热情的原因。当时我一做完《神雕侠侣》，文学组的头头和我说："梁锦辉，你去给故事班讲改编，楷叔就讲表演，明伯（林兆明）就讲台词。"他只提了三个人去讲，我是最年轻的一个。我喜欢讲古就是因为讲古是由我自己自由发挥的，我怎么样理解就怎么样改编和演绎。但是在话剧上我就一定要听导演的，要按照导演的意图去做。导演要把控整个话剧，他不一定会深入某一个角色。有时候比较遗憾的是，话剧中并不能按照自己的想法去演绎，所以我认为话剧在创作上不够自由，相比之下，我认为讲古更适合自己的性格和艺术创作方法，让我更加过瘾，快意。

六　讲古的困境

现在讲古艺术发展式微，没有足够养分的土壤培养新一代讲古艺人，这是比较可惜的。其实讲古很有益。除了自己可以享受之外，还可以分享给别人。好东西大家共享，这也是我自己的一种想法。

现在有很多有利的条件，资讯也比我们以前要发达得多。你想看什么、想听什么、想知道什么，可以马上从互联网上获取。我有一个缺点，就是我的作品（文本）里面有比较多的错别字。因为那个时候我连一本广州音的字典都没有，在话剧团里面也无人能问，那就要靠平时自己从民间听来的。楷叔他们好一点，他们认识一批中山大学的教授，他们可以去问。但我怎么问呢？我没有这样的渠道。但是现在不一样，现在资讯发达了那么多。现在的问题是讲古土壤的养分不够。我们那个时候呢，从改革开放开始，听众突然之间可以听这么多东西，感到很新奇。可以说，当时我们讲古真的是万人空巷。在我讲《射雕英雄传》的时候，很多人，包括讲古行内的人都称赞我，有的人说："哇，辉辉，你的《射雕英雄传》好厉害喔！上次我在北京路从头走到尾，全部听完了。每间店铺还有我家收音机都在放那个，（我都）听完了！"哇，原来我做出来的东西有这么多人欣赏！我觉得我是挺厉害的，这也反过来激励了我，让我更加卖力去做这一件事。

李伟英：好的作品和讲者成就好的讲古

采访者：陈周起、包莉婷、黄静仪、梁永超

整理者：黄静仪、包莉婷、梁永超

受访者：李伟英，男，1957年出生于广州，祖籍广东广州

采访时间：2016年8月11日，2016年9月21日

采访地点：珠江新城点都德、黄埔华苑酒家

◐ 李伟英

国家一级演员，话剧团科班出身，做过话剧演员、电台录音演员、电视剧配音导演，穿行于粤、港两地，曾获广东省优秀中青年戏剧演员“百花奖”、第三届中国话剧“振兴奖”，讲古代表作品有《楚留香》《三少爷的剑》《萧十一郎》等。自称“没有家庭的文艺基因，却足够努力学习”，认为“戏如人生，作品的厚重掺杂着演绎者的人生经历”，呼吁有志之士更好地传承粤语讲古文化。

一　中学时与“文艺”意外结缘

1957年3月，我出生在广州的猎德村。其时的猎德村属于郊区，是广州的边缘地带。我的父母是土生土长的猎德村村民，以种植水果为生，他们都没有接受过正规的教育，尽管参加过扫盲识字班，但学了又忘了。家里有五个

孩子，三个儿子，两个女儿，我在家中排第二。除了我，他们都没有从事文艺相关的职业。要说我的艺术细胞，那还真不是来源于家庭教育和氛围。

1972—1974年，我就读于广州市第六十一中学（即今华南师范大学附属中学）。我们学校是开放的，时不时有外宾到我们学校参观。那个年代，很多同学都不敢也不晓得怎么向外宾介绍学校的情况，当时我是团委副书记，有一种初生牛犊不怕虎的勇气，便在同学们面前，上台演讲。这些经历为我后来走上文艺道路埋下了伏笔。

在高中的三年，我在学校负责宣传工作。校外有很多业余的文艺宣传团体，像舞蹈队、私伙局等。那时候的文艺团体经常有演出，团体之间也互相交流。有一次，我出演粤剧《瑰丽》的男主角，正好省话剧团、市话剧团的老师以招生为目的看到这个演出。市话剧团的马老师觉得我这个年轻小伙长得挺帅、声音不错、演得也很好，就把我招去广州话剧团了。其实，当时省话剧团、粤剧团都看中了我，只是马老师反应最快，先招了我，其他人就没辙了。

就这样，我正式开启了自己的文艺人生。

二　在从化训练话剧的日子

1975年底我正式成为广州市话剧团的成员。第二年，我们被安排去广州从化进行集中训练，整个剧团都住在一栋四层高的楼里。那时候，我们的课程被安排得很满，早上七点起床就开始练声，要大声喊出来，使得头脑清醒。八点左右开始练功，进行形体训练，练一个多小时。到了十点，就吃点东西，然后开始上台词课程和练习演小品。下午就进行片段练习。晚上村子里有宣传活动，我们也要跟着去，因为我们不仅仅是来训练的，还需要负责村子里的所有宣传活动。

我算是一个很有志气的人，既然有这么一个机会让我成为话剧团的成员，我就会很努力去做这件事，做事更加专注，有一些我认为不需要去做的，我就不会理它。比如一些贫下中农争着去做好事，做义工，一大早起床去抢扫帚扫荷塘的垃圾。而我会选择多睡会儿，养精蓄锐，时间到了就起床练功。

那时候，剧团的老师要求很严格，单是一句台词就花费一个早上的时间来纠正我们。老师经常反问我们："你为什么要说这句话？"然后就会指出许多不足之处。老师说，我们选择了世界上最难的工作。四十多年过去了，我还记忆犹新，足见这句话在我心里有多么重的分量。那段训练的日子，虽然很辛苦，但是很开心，很欢乐，也很感谢林清、叶小珠、马三、胡荣、肖忠环等老师的无私教导。

演出剧照《枫叶红了的时候》（1976年）

1976年9月，我们剧团就回广州了。当时在学员文艺汇演上，我在《枫叶红了的时候》担任男主角，大家对我的评价都很不错。比起今日，那时候舞台表演的条件都是比较落后的，但是在我看来已经相当漂亮，感觉自己进入了艺术的圣地。当对艺术有敬仰之心，你才能做好这件事。

与妻子合照（2010年前后）

在剧团工作的这段日子，不仅带我走上了艺术职业道路，还让我收获了爱情和婚姻。我和太太是在剧团认识的，她爸爸是我们话剧团里的灯光师。我太太最初是在银行工作的。

那时候剧团里人很多，每天都有很多戏服要熨烫、修剪，她爸爸就叫她到剧团里帮忙。我们就是那个时候认识的，当时我觉得这个小妹妹不错，她也觉得我不错，两人开始慢慢交往，并于1986年喜结连理。太太很支持我的演艺事业。

三 在电台录故事曾“是一件很伟大的事情”

在剧团的时候，我们也有进行语言训练的。当时老师就跟我说，“要不你尝试跟大家讲段故事吧。”记得我讲过的一个故事叫《半夜鸡叫》，是《高玉宝》这本书里面的一个章节。我讲故事的时候会手舞足蹈，就像现场讲古人一样去表演整个故事。

那时候，我并没想到日后会走上讲古这条道路。

当时一起去从化训练的一共有十九个学员，我们笑称是“十九条好汉”。后来他们都没有一个从事讲古行业的。讲古很难的，需要具备的能力和素质要求太高了，不是稍有文学修养、口齿不错、声音不错就可以讲的。讲古人既要当导演，又要做编辑。文学作品是对人的刻画，除了语言描述之外，还有很多行为描述，这些行为不是“哑”的，它里面包含了很多内容，通过语言，我们要找到这些话背后蕴含的情感和故事。讲一句话可以有千百种声音，比如表达不喜欢的情绪时可以说：“你来做咩啊！”表示女生扭扭捏捏时可以说：“你来做咩嗟！”不同的人物形象、情感情绪有不同的语言表达方式。

20世纪80年代，现场讲古已经相当少了，电台讲古比较流行。当时广东省电台有一个文学组，经常去话剧团招声音比较好的人去录小说诗歌散文，我时不时应邀去录几个十分八分钟的短篇故事。我记得录过的一部短片作品，叫作《石缝间的生命》。我讲这部作品常常讲到潸然泪下：生长在山边的小生命，靠着露水，还能这么顽强生长！现在广东电台已经没有这个文学组，我是真的觉得很可惜。

我第一次进录音室的时候并不害怕，只是觉得很新奇，很神秘。也正是因为这种神秘感，让我有所追求。在那个年代，大家觉得去录音是一件很伟大的事情，因为它会播出来给所有人听。录制报酬不多，而且要根据等级来发放对应的报酬，A就是最好的，能够拿到七块钱。我基本上都能够拿到高等级的评价。久而久之，电台的老师就跟我说，要不你去讲古吧。

就这样，我误打误撞地正式进入讲古这个行当。

我记得录制的第一篇长篇小说是《秦始皇》，我花了很长的时间去整理讲稿。不像现在可以从网上下载，直接在电脑上修改，以前还没有电脑，我们都是一字一句手抄的。像楷叔（张悦楷）那一代人，是把整本书“移”（抄）过来，整理出的草稿是很高的一大摞。当时他们得到的报酬可以说是少得可怜，电台不会给重播费，更没有版权费。到了我和梁锦辉这一辈，工作报酬相对好一点，一个月有几十块钱的工资。大家都很羡慕我们能够在剧团工作。

四 六年“港漂”生活

20世纪80年代末90年代初，国家进行文艺表演团体改革，社会上流传“三年断奶”“政府不养了”“自负盈亏”“下岗”等传闻。大家都很担忧剧团以后该何去何从，个人该去还是该留。刚好这个时候，香港话剧团过来广东招人，希望招到既会讲普通话又会讲粤语的人。老师前辈就说带我去面试，没想到我面试后，香港话剧团觉得我挺好，立即就决定招我了。

我是1992年赴港的。那时候，香港话剧团的建制很好，香港政府很支持文艺事业，听说一年会划拨七千万元的资金来发展文艺事业。当时香港的文化氛围很浓，有无线和亚视两大电视台。很多年轻人不仅喜欢追星，还有明星梦想。他们积极报读演艺学院的表演系，毕业后就去话剧团、TVB等就业。内地很多人都不关心文艺领域，或者说很多人都不想从事这个行业，这就是当时内地和香港的氛围差异。对我来说，我喜欢演戏，既然有这样的机会，就毫不犹豫决定去闯一下。

香港的观众很喜欢看戏，香港话剧团的产出是很高的。我在香港，一年可以演七部戏，在内地一年才演一部。当时香港话剧团有一句很响亮的口号：我要将全世界最优秀的戏剧介绍给香港的观众！这是一句很漂亮、很吸引我的话，也是我决定去香港的很重要的原因。

我刚去香港话剧团的时候，里面的人还不多，我们第一次的演出就引起了全港的轰动。之后，我饰演了《李尔王》里面的爱德蒙、《竹林七贤》里面的司马昭、《南海十三郎》里面的唐涤生等角色。这些作品都得到了香港媒体的表扬，媒体评论常用“惟妙惟肖”这个词来形容我的表演，还说我演的每部戏都很有分量。第一出《南海十三郎》里面的唐涤生就是我扮演的，现在饰演唐涤生的演员阿灿（潘灿良），每次回来都找我一起吃饭，都很客气很谦虚地说是模仿我的表演。在众多戏剧里，《南海十三郎》是我比较喜欢的一部戏剧，最不喜欢的是《等待戈多》，虽然它在戏剧界里是一个标杆（属于荒诞派的代表作品）但是我认为它的表演空间和艺术性还不是特别好。

演出剧照《李尔王》（20世纪90年代中叶）

在香港，我们这些从内地过去的人一年被准许回内地两三次，而且只能在重要的节假日。

当年，我是只身一人去香港，家人都还在广州，女儿才五六岁大。有一次我回家，女儿说：“Daddy（爸爸），你回来，我们吃饭就有说有笑；你不回来，我们就只听到这些声音（筷子打碗的声音）。”她是学音乐的，她用声音形象来告诉我：Daddy在家就好，Daddy不在家就不好。当时就觉得，在她小的时候，我没有在身边好好照顾她，她即将要去外面读书了，那就回去陪陪她吧。

当我准备离开香港的时候，香港话剧团总监劝我不要回去，杜sir（杜国威[①]）还跟我说，不要走啦，我给你加戏。他很喜欢把戏给我演。但是想到家里的老婆孩子，我还是决定回内地。就这样，我结束了六年的“港漂”生活，于1997年回内地发展。

回内地后，我还是继续从事文艺事业，拍拍剧，讲讲故事，参加一些电视台的节目，等等。我是一个闲不住的人，总会找各种事情来充实自己，丰富生活。我是2012年正式退休的，那时候文艺团体正处于转型期，艺人只要符合特定的条件就可以提前退休。而我又都符合那些条件，尽管自己有些不舍得，但最后还是选择退下来。《南越王》是我退休前做得比较好的一个作品，我饰演的是一个南越国的首领，从四十来岁一直演到八十岁，可能是我的各方面的能力都成熟了，所以能够撑起这个角色，这个作品很受大家的认可和表扬。

五 讲古二三事

（一）我眼中的古龙与金庸

金庸，我挺喜欢的，他的小说博大精深但笔下的故事情节推进慢。我更喜欢古龙。我为什么更喜欢古龙？因为他有鬼才，作品画面感很强。我们说书人一定要感受到作品的故事性、文学性，感受作品的节奏在哪里。比如古龙先生曾经写：“我记得陆放翁曾经有一句，此生合是诗人未？细雨骑驴入剑门。我不知道赵无忌现在有没有陆放翁那样的心情，但此时此刻，他确实斜撑着一把油纸伞，骑着一只毛驴，（行进声）入了蜀境。后面有六个黑衣

①杜国威，1946年出生于中国香港，籍贯为广州番禺，著名华语影视编剧、导演。

大汉，拖着漆黑的棺材（棺材拖动声音）。”这不就是很好的画面吗？文字提供给我们的是信息，但是现在很多人看不见画面。

台湾评论家欧阳莹说古龙的作品超越了时代。她说，画有工笔和意笔之分，如果文学作品也可以这样分，那古龙先生的作品就是写意，他寥寥几笔就形成了一个画面，之后在里面制造气氛，变化扣人。

古龙的《绝代双骄》可以在所有武侠作品里排上最高那层，他最高的成就是《多情剑客无情剑》，还有一本叫《萧十一郎》。《小李飞刀》是楷叔讲的，我讲的是《萧十一郎》。在戏剧里有这样一句话：合乎情理之中出乎意料之外。作品有想不到的变化，那就是才气了。我觉得古龙对人生、对武侠的感悟很好，其实武侠就是人生。他最流行的一句话也是一个观念：你最好的朋友就是你最大的敌人。这是很有道理的，因为他知道你、了解你，要么英雄惺惺相惜，要么从最好的朋友变成最大的敌人。比如陆小凤最后要收拾的一个个都是他的朋友。

（二）演戏和讲古的异同

我的社会身份是多样的，既是讲古佬，又是话剧演员。演戏和讲古有很密切的关系，主要体现在语言上，需要语言技巧和对人物的理解。其实讲古也可以是演戏的一部分，有时候演戏一个人也要做几个角色，相比之下，讲古更侧重语言表达，它需要的想象力更丰富一些。我们在录音室里，就可以穿南讲北，戏剧可能有空间的局限。

讲古之所以复杂，就在于它讲究什么时候进去什么时候抽离，什么时候浓墨重彩，什么时候轻描淡写。对优美文学，需要有技巧，要有好的艺术鉴赏力、文学鉴赏力才能表现它的韵味。如果讲古的声音无感染力，观众感受不到氛围，无法调动自己的情感。我们在电台麦克风前的手、眼、身等肢体语言也很强，不需要惊堂木，也可以留住观众的目光。

（三）朗读和朗诵的区别

古诗词用粤语朗诵是很好听的。最难读的《红楼梦》，如：“一个是阆苑仙葩，一个是美玉无瑕。若说没奇缘，今生偏又遇着他；若说有奇缘，如何心事终虚化？一个枉自嗟呀，一个空劳牵挂；一个系（是）水中月，一个系（是）镜中花。想眼中能有多少泪珠儿，怎禁得秋流到冬，春流到夏。”这一段多么押韵。

朗读，“朗”就是大声，意为大声读。朗诵除了要大声，还要有编排，要有设计和想法，比如“时候不早了”，在广州话里可以讲“已经好夜了”，“已经好晏了，我哋应该翻去了”，表述用语是可以调整的。又比如，《滚滚长江东逝水》，最后一句“一壶浊酒喜相逢，古今多少事，都付笑谈中”，朗诵时可以加一个“哈哈哈哈”的笑声。另外“浪花淘尽英雄”究竟怎么断句也是有讲究的。为什么有的人讲不好？第一，他想不到可以有多种断法，第二，不知道哪种更准确，艺术贵在准确、有分寸。如果要表达对历史上经过了多少“浪花淘尽英雄”的感慨，可能会拉长“英——雄”。如果只是“浪、花、淘、尽、英、雄”这样逐字逐句读出来，那只是小学生的水平，是朗读。比如“滚——滚——长江东逝水”，为什么要慢，因为气势大，要营造视像的感觉。“是非成败转头空”降下来，“白发渔樵江渚上，惯看秋月春风。一壶浊酒喜相逢，古今多少事，都付笑谈中”节奏要加快。朗诵需要赋予文字感情色彩，然后把它编排表现出来。

（四）声音处理

《十面埋伏》里面有一个人物叫何波，共产党员，不是坏人，为了管好监狱，结果受到伤害，被一辆垃圾车撞死。我一直用一把沙哑的声音去塑造他，奀（尖瘦）一点，不用雄壮的声音。编辑问为什么，我说要表现出他的累，一个人苦苦支撑，很累。贪官要用松弛肥厚的声音，是坏人，贪得多，脑满肠肥。监狱都腐败了，那犯罪分子还有什么可怕的呢？

文字提供给我们的是一个信息，现在很多人看不见这些信息。现在部分后辈讲古人还停留在初级讲古的阶段，还是要多去研究大师的作品。比如文学作品里很常见的句式“于是甲对乙说：你为什么要这样做？”大部分人都像幼儿园讲故事那样说，你让我打分，只能是零分。因为这些文字提供给我们的是完全不同的事物，可以慢下来，也可以拖腔。“于是甲对乙说”其实有一个情景、一种描述，究竟是在什么情况下说的，可能是紧急的，也可能是慢吞吞的、平铺直叙的，等等。“你为什么要这样做”是生活语言，人物不一样，刻画的性格不一样，语调就不一样，不能混淆。

（五）讲古人的三个必备条件

讲古讲得好的人，都具备这几样素质。首先，要当一个好的编辑，要懂得删减、衔接多余之处。第二，要当一个导演，要懂得哪里是“浓”、哪里是“淡”，懂控制节奏快慢、构图画面、营造氛围、贯穿人物、选择声音。第三，要有好的鉴赏力。好的讲古人必须是个艺术家，因为要知道哪些东西不应该讲，比如淫秽的地方需要一笔带过，需要精彩之处，就要用技巧手段去升华它。

李伟英（前排右四）和广州电台配音组同行合照（2010年前后）

六 我与讲古前辈

在林兆明90周年诞辰纪念展上念诵《满江红》（2018年）

林兆明

明伯（林兆明）对我是最好的，“整个广东省我就看好李伟英”，前辈就是这样鼓励我的。最近明伯出了一本书，叫作《书接上一回》，我还没来得及看。他讲的《林兆明的艺术人生》，录了35集，里面的旁白是我配的，是明伯点名要我来录的。三十集的旁白，不是很多，总长度大约是二十分钟，大约占（总时长）三分之一吧。我一个早上就录完了。

缪燕飞

我们刚刚入话剧团的时候，缪姨给我们上过课，我最记得她讲关于重音的部分。重音分感情重音、强调重音、逻辑重音、意群重音，这个是缪老师和行内人才会知道的。重音有时候要轻读，但多数是要重读。比如：“你点解要咁做？（你为什么这么做）”这个“点”字就要重读，强调感情，你为什么会做错。类似的情况有：“将块玻璃轻轻咁啰过来。”因为玻璃是容易打碎的，所以要很轻地说“轻轻”，不能粗声粗气说“轻轻”！四十年来，我还记得这一段。这一行里，讲得出道理的人不多，缪姨算是一个。

在粤语传承方面，她做了很多工作，她以前也是省话剧团的，她积累了很多经验，在理论上做了一定的研究。在粤语的领域，在实用理论研究上，缪姨是做得比较全面的。前段时间她（缪姨）身体不好，我们做学生的都知道老师的情况。我们给她的建议就是不要带小孩子。带小孩子很费精力的，小孩子对语言的感悟力跟缪姨是一个地一个天。但是缪姨坚持继续做下去，这是我非常佩服她的一点。

吴元标

《三少爷的剑》是标叔（吴元标）和我一起讲的。我们拍戏会走在一起，我演戏的时候他也会过来看。他是一个很好的演员，我认为他饰演广东农民生动形象，那种乡土气息、语言行为，他做得很不错，可能没有人能够演得比他好。演员最主要的是表演质朴、真实。艺术不可以随随便便，不能用玩耍的态度。讲古同理。他们是很伟大的，我喜欢用伟大这个词来形容他们。因为伟大包含了其他人很难理解或者体会的艰辛，他们将自己的智慧和才华奉献给了文化事业。

霍沛流

楷叔（张悦楷）是省话剧团的，明伯（林兆明）是省话剧团的，缪燕飞老师以前也是省话剧团的（后来出来做群众文艺），标叔是佛山话剧团的，阿辉（梁锦辉）是省话剧团的，我是市话剧团的。业余的人里，讲刻苦要数霍沛流，他聪明、好学、勤奋，很会模仿他人，只是语言技巧还不够好，他很尊敬我们。一个业余的人去做讲古是很艰难的。他本来是医生，属于有文化的一类人，做得也不错，虽然还不能够和大师相比，可是已经难得可贵了，这样的人很少很少了。

七 讲古之路怎么走？

广东电台以前还没有分珠江经济台之类的，后面曾改名为“城市之声”。电台编辑要考虑节目定位、编辑方针之类的，现在电台做得比较多的是娱乐、广告之类的节目，文化底蕴少了。

以前说电台是夕阳，电视是朝阳。现在电视是夕阳，网络才是朝阳，技术的发展速度太快了。以前我们录音是用那种一圈圈的录音带子，录音时声音入轨要很注意节奏。但是现在不用注意这些，坐进去录音间就可以开始了，声轨剪辑、接驳得很好。以前大家家里都没有收音机，所以就要去现场接受一下文化熏陶，去听现场讲古。现在连3D（三维）技术都有了，随时都可以上网。当听古随时都可以听的时候，谁还去又晒又热的现场听人讲古呢？这也是讲古式微的一个原因。

现在的人讲古，两个字：“嘥气”（浪费力气）。林兆明的一句“哥哥啊”就难住了所有人，后人超越不了这句“哥哥啊”。我现在打开收音机听一下，听不下去的。我们寄望后辈，希望人才辈出，但真的很难，因为讲古是特殊时期的特殊产物。改革开放前后，社会处于更迭转型期，在打倒“四人帮”后市面涌出了大量的书籍，很多世界名著都被引入。那时候买书便宜，一两块钱就可以买到一本书，我们看了很多名家作品，《莎士比亚》《傲慢与偏见》《人》等，这是一个知识爆炸的年代。我们这行的老人家就

参加首届“云山讲古鳌头赛”活动（2016年）

想是否可以把文学作品看作是新的战场，于是开始了电台讲古。那时候报酬少，楷叔五块钱讲一个小时，但是大家都觉得没关系，下功夫去做就好，那个年代也没有来自手机、互联网等太多的干扰，可以专心研究。

我经常和辉辉（梁锦辉）说，讲古很辛苦，因为看书、校对文字、编辑，要花费很多时间。人都是趋利的，哪里的经济效益好，哪里就会凝聚人才，这是规律。讲古报酬从一两元到现在的几百元，尽管报酬有所提升，但依然是付出大于收获，很多行内人就不做了。于是出现糟糕的情况，不懂的人硬来了，硬来的人就会做坏事。讲古大师一个个离开了，我们这一辈人又不在这个舞台耕耘，社会又不重视，粤语讲古已经低落了相当长的时间了。以前偶尔有人组织我们这些讲古佬，去白云山聚聚，探讨一下粤语讲古。但现在我们都很难有机会聚在一起，各有各的工作，就没有人来探讨了。

这个年代，粤语讲古能否发展下去，要看我们的政府或有关部门重不重视。如果不放弃，就要培育新人，或许我们这些老人家也可以尽一点努力。在我的认知范围内，如果新人没有接受过专业的训练，是不可能把古讲好的。怎么传承？在我看来先要在经济上保障，需要得到社会保障和政府保障的。

讲古，曾经利用电台这个媒介，将中国传统文化送进万户千家。现在正缺乏后继之人，我希望更多的有志之士能够努力壮大讲古人队伍，传承粤语讲古文化，传播博大精深的传统文化。

林劲：在别人的故事里学做人

采访者：储冬爱、陈周起、李雯、刘畅、张舜琪、黄静仪、罗美君

整理者：罗美君

受访者：林劲，男，1970年出生于广东番禺，现任番禺融媒体中心副主任

采访时间：2020年4月13日，2020年12月20日，2021年1月19日

采访方式：腾讯会议（线上）、微信（线上）

林劲

儿时通过模仿张悦楷的电台讲古节目，在班上讲古收获粉丝。之后加入广东音乐曲艺团学习、表演相声。受林兆明与张悦楷鼓励，开始系统学习讲古，并考入番禺广播电台，于1989年12月以《小说连播》节目《雪山飞狐》正式开启讲古路。林劲认为学讲古就是学做人，主张破旧立新，接受音效、广播剧、网络、App等现代渠道和形式。通过讲古传播粤语文化是此生最快乐的事情，愿意为之奋斗一生。

一　童年启蒙：模仿张悦楷，讲古添自信

我是20世纪70年代生人。那个时候娱乐活动并不丰富，小人书都比较少，我每个月只拿到一本《红小兵》（七分钱一本）。我父母是职工，工作很忙，也没有什么时间陪我玩。身边的小伙伴们都喜欢去户外打篮球、踢足球等。但因为我的成绩比较差，尤其是体育成绩，他们就不大喜欢跟我交

流，不找我一起玩足球了。

当时让我最快乐的事情是什么呢？是玩我母亲从医院带回来的“玩具”——医院里那些瓶子上的瓶盖，有红色的、蓝色的、紫色的。后来，我无意中在爷爷的书房里面找到一本《水浒传》，当时七岁半，大概是刚读一年级，自己一边查字典，一边慢慢地看。我看完了以后觉得挺有意思的——它前面十几页是图像，后面都是字。

看了《水浒传》之后，我会想花荣和秦明他们俩是怎么对打的，所谓的“马蹄翻飞”是怎么样、“刀枪剑戟”是怎么“一来一往”，把那些瓶盖幻想成军队，然后把小棉签削一削，让它们对垒，想象当时战争的画面。当时没有电视剧看，要是有的话，可能就不存在这个事情了。1977年那会儿，我们整个宿舍大楼只有几台电视机。差不多到20世纪80年代，电视机才走入寻常百姓家。

可幻想完以后，这种令人澎湃的激情怎么安放呢？得有个地方发泄啊。我当时就有一种表达欲，想找人讲。找老爸讲，那不找抽吗？“你不好好读书，现在还敢看这个小说？”所以我就找同学讲。

1977—1982年，我在永红小学（后来改名叫市桥中心小学，现在又改叫桥东小学）读书，那时候还是五年制。一直在思考怎么跟同学们交流。我心里想：能不能把这些故事讲给同学们听呢？于是，大概在三四年级的时候，我开始给同学讲故事。上学时，在自己家门口邀集三五个小伙伴，边走边讲，直到学校。放学后，又从学校讲到桥东路的医院（广州市番禺区中医院）。我们走的那段路，小孩子走大约也就二十分钟，所以我每次也就讲个二十分钟左右。没想到，慢慢地，跟随我们讲古队伍的小伙伴越来越多了，最多的时候有二十多人，浩浩荡荡地从家里往学校赶，或从学校往家里赶。

当时讲古给了我莫大的自豪感。我本来因为踢球不如人，被人家嫌弃。可通过讲古，我一下子就把自信给找回来了。他们会整天缠着我问“后面怎么样？”“下面怎么样？”，我就说：“好，下回啊！你们放学来听，就要上课了。”还有一些同学会买冰棍给我，让我给他们讲，讲完了再回去。

那时候我还会把很多字都读成错别字，现在撞到（碰见）那些同学，他们还说："哎呀，你那个时候把我害了！说什么'李达（李逵）拿着两把斧头'，我后来一直都以为那两个字读的是'李达'。还说什么'水许传'，我后来才知道那个读'水浒传'。"

我刚开始讲的时候是没什么方法的。后来在1979年，我在电台听到张悦楷老师的《小说连播》节目。那个时候真带劲儿啊！我就专门追着张悦楷老师的节目听，从模仿他开始。因为自己也收藏了那套《水浒传》，当他讲到"欲知后事如何"时，我能够再接着给小伙伴们讲后面的故事。人家还没在电台听到，就从我这儿听了，这令我感到很自豪。

那时候我们学校正式的老师还不多。地理、历史这些课的老师，还是从我们小区隔壁的电筒厂请过来代教的，他们本职是电筒厂技术人员。大约是1979—1980年，我跟同学们讲故事，渐渐地在学校有名气了，那些代教的老师也偷懒了——45分钟一节课，讲完了前40分钟或者30分钟，见剩下还有时间就说："哎，林劲，上来讲讲。"我就讲了嘛。讲得越多，收获也越多，我也就这么锻炼出来了。那个时候没有"粉丝"一说，我收获了很多拥戴我的同学。

除了享受那些自豪感带来的小乐趣，我还觉得有个事情特别过瘾。我那时候小，就会想：为什么大人会这样想呢？那个人这么善良，却老是被欺负，我要是成了那个人，会怎么做呢……我会不断地把自己代入不同的人物。在代入不同的人物时，我需要把人物的行为以及心理活动合理化。我在描述这些人物的时候，就能走进去了——这天然地增加了我对小说人物的理解。小时候这种不自觉的培养，提升了我对事件的抓取能力以及对人物性格的揣摩能力。现在的我能做到什么程度呢？我一读到文字，就可以瞬间进入这种状态。

讲古还激发了我的什么能力呢？我小时候没有那么多词汇，但我会尽量具体描述那个场景，让人"看"到我脑海里那些画面。我不会说什么"眉如青山黛，眼如秋波横"，只会描述"她的眼睛就像一个弯弯的月亮，眯起来的时候，一下子就让人觉得和气、亲近，就像妈妈晚上喂饭时的神态”。我小时候总是乱用比喻，不自觉地把小说描述与相似的生活场景联系起来。无意中，我培养了自己对文字的画面感的表述能力。讲古的时候，我的脑海里面是有画面的，而且后来随着我看的电视剧越多，这种画面又多了一些空间感。我讲的很多内容，即便是日常生活中的，也能让人家很有代入感。所以说，讲古培养了我用画面来描述每一件事情的习惯，增强了语言表达里的画面感，能更好地传递情绪。

我从来没学过演讲，没有什么演讲的技巧。但我能让你有身临其境的感觉，因为我从小就不自觉地养成这种习惯了——在一遍一遍讲的过程里，为了让人理解自己所看到的那段文字，我会努力把文字翻译成画面，再将这种画面传达出来。

二 从艺：从相声表演到电台讲古

因为父母不是从事艺术的，以前我老是觉得跟艺术的门道隔得很远。在我读小学五年级的时候，广东音乐曲艺团有一帮退休的老艺术家，也是老唱家吧——比如“大喉”唱家白燕仔，“子喉”唱家谭佩仪，还有何丽芳、劳艳娟、黄俊英等一帮名角——跟广东省粤剧学校联办了一个曲艺班，在全省找他们认为好的学生来教、来传承。他们来到番禺的时候，我的老师就说：“你要不考考？”一听到有这个机会，不管三七二十一，我就上去讲了一通，其实当时我根本连粤剧是啥都不知道。讲完了以后，他们说可以，就把我给招进去了。

结果一进曲艺班，我才发现原来是学唱戏的，不是学讲古的，就觉得有点不顺心。同班的同学里有梁玉嵘——现在最有名的粤曲“星腔”传人，还有“子喉”唱家李敏华、廖绮等。那时候我跟陈坚雄（现广州相声艺术团团长、在《外来媳妇本地郎》里饰演苏贵元）拍档，一起跟着曲艺团里的黄俊英老师、杨达老师学相声。但我内心还是很渴望讲古。当时我学相声，学戏曲，但没学到讲古，心里有一个疙瘩。

我们学了四年，1988年8月毕业，10月到广州相声艺术团参与演出，也因此进了当时的广州粤语相声学会。1989年的夏天，在广州有一场广州粤语相声学会举办的晚会，我们在后台帮忙。见到了张悦楷、林兆明、吴克、蔡传兴等相声名角。难得见到心中偶像，我就在他们演出的间隙，跟林兆明老师和张悦楷老师攀谈了几句，表达了我内心是很想学讲古的。当时楷叔（张悦楷）听我讲了几句（古），对我说："讲古，你得动人动情。"还跟我说了一些鼓励的话："相声，也就是能够说、学、逗、唱。其实很多的艺术门类都是为讲古打基础的。"其实他们（林兆明、张悦楷）也是从话剧到讲古的，听他们一讲，我才明白过来：原来所有的艺术都可以用来丰富语言艺术，原来我这几年没白费，所学的曲艺可以融到讲古中。我一下子心里亮堂起来了。就是这样，我对讲古的渴望又被点燃了，于是开始进行系统性的学习：读相关的书，看北方的评书，缠着林兆明和张悦楷聊讲古的一些技巧。

后面终于逮到一个机会——番禺广播电台公开招考主持人，我就去考了，讲一个古。我跟他们说，那些新闻什么的，我都会学，但希望他们能给我机会讲古，让大家听听，看能不能达到播出的标准。他们跟我说："你试试。"我就开始讲了。1989年12月，那时候我19岁，第一部讲的是《雪山飞狐》。没想到节目播出后收听率还不错。从此，我每年讲一到两部长篇或中篇小说。节目在电台播完了，版权被卖给当时的两广部分城市电台小说联播节目交流协会。两广十七八个电台轮流播我的小说。在之后我的作品也被中央人民广播电台采用了，其中一个是面向海外的国际频道，还有一个是对香港广播的华夏之声。之后又回过来，今年讲古作品是在珠江经济台和广东电台的文艺频道进行播送的。

有人说，比起现场讲古，电台讲古很容易——只需要对着话筒，讲到导播说"时间够了"，再说句"欲知后事如何"就完了。因为现场讲古需要互动，你时刻关注听众的反应，情不自禁地会想办法勾住他们，不让他们走神。比如，讲着讲着就抛一个"钩子"："你们知不知道，张飞他这一声

参加中国国际广播电台举办的“文墨行吟”——《全景中国》合作媒体诗文分享会（2016年12月19日于广东省肇庆市）

大呼产生了什么效果？”若有人想去洗手间，那我就先告诉他关云长是怎么被千军万马给困住的，再抛一个“钩子”：“他到底能不能突围呢？”这个“钩子”可以说是一个悬念，像钓鱼一样给听众下一个“钩”，把他们的兴趣、注意力给“钩”住。运用这种抛钩子的技巧，你能跟听众互动，交换情绪，也能让自己更有底气地继续把这个故事讲下去。

我个人认为，电台讲古与现场讲古一样有难度，只是它们的侧重点各有不同。在电台讲古时，面对的只有一个话筒，你要想象说的每一句话会引发听众什么样的反应？在现场讲古时，你的眼神、面部表情、肢体动作都会参与到整个演讲里，你是动用全身去跟对方交换情绪的。相比之下，电台讲古有空间上的局限性。电台的听众是分散的，他们的状态都是不一样的：他可能在一边开车一边听，一边做饭一边听，一边跟小伙伴聊天一边听，一边在商店买东西一边听。这就要求你的情感要浓烈到能把在不同场景下收听节目的听众的注意力都给抓住，因此你所设计的那句话、那种情感，要更加精确、到位，你所设计的“钩子”也要更加巧妙。同时，因为不能看到听众的即时反应，你不能及时做调整，若没有深厚的无实物表演的基础，没有足够的人生阅历，没有对这个故事深切的把握，很难讲到能抓住人心的地步。

在剧场，你既是故事里的角色，又是讲古人；在话筒前，你就要完全进入故事的情绪状态，想象出所有听众的反应，它们二者肯定是有不同的。但对于我来说，不论在剧场还是录音室，我依然是全身心投入来表演的。一般来说，我不想让人看到我直播的。在电视上、在网络上，我会刻意地把自己表现得“正常”一点。因为摄像机不仅录声音，还录形体——这是需要基础的表演功架，不能随意而为之的。譬如说，我不能真的表演出那种让大家起鸡皮疙瘩的“骚”，而要收敛一点，不然把大家都吓跑了，对吧？看那些老艺术家，刘兰芳也好，袁阔成也好，他们在同时表演声音和形体的时候，与只表演声音的时候，是有区别的。他们有时候没有那么外放，（形体）表演时的身形都体现基本的戏剧功底，比如“膀如山原”“开臂平肩”等。

林劲（右）获广东广播电视台“小说连播30年·岭南讲古艺术家”感谢状（2016年4月9日于广州白云山的“云山珠江讲古台”，左为梁子刚）

但我在录音室的那个状态，就不可名状了——我手舞足蹈的时候根本不会顾及表演的功架。我若要扮演潘金莲，可能比女人都妩媚。有时候他们要我反串女人表演小品，我这种大胖脸，怎么跟人家如花似玉的姑娘相比呢？虽然我声音的音质不可能像女生那样清脆，但我可以学习女生的娇柔动人，进入女人的状态。我能把女孩子都表演不出来的那种妖媚表演出来。表演内在语是什么呢？它是有三个层次的：第一，一听你说的这话就知道这是一个什么样的人说的——是男人还是女人，老还是少；第二，是什么性格的人说的；第三，他说这话的真实的意思是什么。就是说，文字背后的真实含义，你都能够准确地表达出来。做到这三个层次，你就是合格的故事角色演绎者。

当我进入表演状态的时候，不管前面是一支话筒，还是一群观众，在那一刻我会忘了我是我，甚至会忘了自己在表演，只记得我脑海中的画面。每一次进入录音室之后，我很快会忘却自己，在故事的人物里面游走。人们都说讲古是很辛苦的，但对于我来说这是很美妙的一件事情，它是一门能够让我获得满足感的艺术。我要是状态非常好，讲着讲着，就会忘了自己所身处的世界，而只沉浸在人物和情节里面。不论是到月满中天，还是到曙光初现，我都能一直录，一点都不觉得疲累，只觉得自己完成了一件很棒的事情。然后也会回听自己的作品，为自己的声音所陶醉——我难免自恋了一点，但有的时候我会觉得某个地方录得不行，感觉这儿有破绽，那个没表达好。

三 学讲古？学做人！

对于讲古，我是无意中入门的。我小时候是无知无畏，一切都从模仿开始。我那时并不明白什么叫“系扣子”，什么叫“丢包袱”，只是通过模仿，然后凭借自己的记忆，将故事叙述清楚。虽然我也会做一些人物扮演，但那只是单纯的模仿。后来在粤剧学校里学了戏剧史，我才知道原来艺术的发展脉络是这么个走向，也明白了这门艺术的基础和基本公式，逐渐明晰自己要琢磨什么东西。随着年龄渐长，我对人情世故的了解也开始有一个雏形，在讲古中感受到，我从原来单纯模仿人物的状态，过渡到了一种自觉的状态——这是两个不同的层次。具体来说，第一，从故事结构来看，电台讲古的故事结构是更加完整的。原来跟小伙伴讲古的时候，并不讲究故事所谓的起承转合，只知道下课了，我就该停了。在电台讲今天这一回书，讲二十三分钟，要在哪里说“欲知后事如何”，要在哪里说“原文再续，书接上一回”，我能按照每天的需要把故事编排成不同的段落。第二，从艺术上讲，我对人物的理解与塑造已经进入了自觉的状态。第三，我开始明白故事的意义在哪里，亦即“评”的重要性。所谓的评书，那是“七分评三分说”。年纪尚轻时，我对人情——现在我们称之为“舆情”——的把握还不严谨，并不明白“说”就是那一个传道的“窍点”。为什么说杨六郎“忠义”？为什么说潘仁美“阴险”？这些关键你得点出来，以最浅显的方式让听众听懂这些道理。我也是到五十岁的时候才真正明白：“评”的作用，就在于通过故事把我们中华传统文化和优良的道德传统给传播出去，这其实是讲古人的一个社会责任。我以前只是隐隐约约知道，得把这个故事、这个人物的好给大家点出来，所以少年时期的演播风格就很老气了。很多人写信给我，他们也不知道我到底多少岁。我那时候特别渴望收到活动邀请，让大家知道收音机里的“老头”其实是个英俊少年。结果现在有机会了，头发却没剩多少了。

加入广播电视我算是半途出家的——学的是曲艺，突然走进了新闻队伍。那我怎么来理解新闻？我是以人情世故来了解的，一方面是理解这个事情的走向，另一方面则是揣摩听众在听我说了这个事情之后的感受，因为我需要预先代入他们的感受来选择自己的语言和广播。讲古最大的魅力，就在于它能让你从小培养一颗理解别人、了解不同人物状态的心。虽然这些故事没有给我带来很多财富，但我还是觉得它们很有魅力，所以耐心地琢磨、归类，研究到现在。我希望能够通过讲古来传播一点粤语文化，分享讲古的一些经验——我不敢说“传授”——分享给我们的下一代，这是我此生最快乐的事情。

现在让一个小孩去学讲古，不是把讲古当成一种谋生的手艺，而是希望讲古能够让小孩具备通人情懂世故的能力。我现在同小孩说，我从来不要求你们以后上电台讲古，甚至你上不上台表演，我都没有意见。但是，你要有耐心，我会花几年的时间跟你一起打磨一个故事。因为你从学得像不像，到讲透每一个角色的不同状态，到真正走入这个角色的内心，是需要有一段历练和成长的过程——今天讲和明天讲，表现绝对不一样。

当你真的夯实了基础，那就等于你会讲很多不同的故事。为什么？因为你已经明白了一种人情世故。他们总问我讲古有什么技巧，我就说“学做人”——这可以说很大，也可以说很小。我对于讲古技巧的心得是：除了很多的技法之外，你还要通人情世故。当你对人情世故了解得越通达，就等于你对那个人物了解得越多，能够精确细微地将他表达出来，所以一切的技巧就变成了无心无法。至于其他那些语气、声调的运用，都是细枝末节——如果要成为一个专业演员，那当然很重要——但今天，教一个孩子讲古，我就

担任首届番禺区中小学生诗词大赛总决赛考官并表演讲古（2017年12月21日于广州市番禺区家宝红木文化艺术馆）

希望他能学会明白他自己、明白他的父母、明白这个社会、明白这个人间。这是讲古能给他的一个最大的收获了。

我有时候会问小孩子们：知道为什么这个叔叔他会那么坏吗？为什么哥哥这么好呢？为什么这个姐姐她会这样选择？这些背后的理由是什么？当他们找到了、理解透了这些“为什么”，就可以讲好故事了。我特别“恨”的是，上台的人，有我的影子或者别的老师的影子，甚至整个表演的技巧和语气全都一样。我也很怕那些少年老成的小孩，一上来就讲什么斗智、暗黑的东西。讲是没问题，但是小孩真正理解吗？如果他真正理解了、明白了，那么后面自己去讲，当讲到不明白的地方，我们再来交流也可以。我从来不敢说做任何人的师傅，因为人生本身就是一门课，你跟我学讲古，也就是稍微懂了一点。我只能把那个入门的钥匙给你，当你打开了那扇门之后，你自己爱怎么乐就怎么乐去。

四　粤语讲古的三个源流：木鱼书、李我、街头讲古

有很多人说，正宗的粤语讲古，要追溯到柳敬亭先生，他是以前的评书大师莫后光先生教出来的最得意的弟子。有这样一个传说：明末，他随左良

玉军，把讲古的艺术带到了湖广一带。有一些广东籍子弟学到这种评书，并把它引回广东，慢慢一代一代传承下来。后面的讲古人有吴连（先生连）、胡千里，还有现在的颜志图老师。

但我对此有一点点不大同的看法。如果说是评书类的粤语讲古，当然是有这样的一个脉络。但这跟粤语相声一样，等于承认讲古是于北方传承，是从普通话慢慢转变的，是吧？讲古并没有真正把评书里面的基本技巧、基础训练，还有形成流派的整套方式给传承下来。

就说粤语相声的“说学逗唱”，“说”什么？“逗”什么？“学”什么？“唱”什么？你看郭德纲“说”的内容，北方相声“唱”的是太平歌词。那南方呢？唱粤曲？唱民歌？还是唱粤语吟诵？到底是唱什么呀？只有归整出自己流派的艺术特色，才能够真正地把艺术的精髓给传承下来。但反过来说，粤语讲古的发展又是否只有这一条通道呢？

我认为粤语讲古发展到今天，形成这样的态势和艺术特色，至少有三个源流。

第一个是粤语的说唱。我们的木鱼书、地水南音[①]，在珠三角一带，尤其在东莞特别多（现在在日本保留得特别完整），可以说是粤语讲古的其中一个源起。以前都说“女子无才便是德”。那些大家闺秀、小家碧玉，她们不读书，是怎么明理的呢？是怎么了解所有的纲常伦理？怎么知道洞房花烛夜，应该干啥呢？这些知识是怎么传播的呢？其实最开始就是通过木鱼书来传播的。老人们把这些知识编进故事里面，一段一段地唱给大家听，告诉他们什么是忠孝礼仪。小孩从小到大听着这些，就听到心里去了。

譬如有一段是老太太专门唱给小姑娘听的，唱以后怎么入洞房。我可以用粤语唱：“龙舟唱啊，唱天光啊，阿嫲今晚，同你唱下，花烛洞房，哎呀嗰（那）一晚你共夫郎，走入红绡帐咯，你咪咁（不要这么）含羞答答，莫

①地水南音：流传于珠江三角洲地区的一种粤语说唱艺术，在木鱼歌、龙舟歌基础上，吸收潮曲和江浙南词的长处，变化融合而成。

慌张嘞。佢（他）会轻解罗衣，将你拥入娇羞被内。啊——唱咯……”这个内容就是：老太太告诉你，洞房花烛夜，不要含羞答答，不要慌张。你那天晚上跟夫郎进入红绡帐，他会轻解你的罗衣……

这是一类粤语故事传播的方式。当戏剧故事进入了寻常百姓家的时候，平民可以通过故事学到中华文明的历史和伦理纲常。在这些说唱文字里面，故事的结构、逻辑、呈现方式，其实早就形成了特色。我们不能忘掉这些老太太，还有唱粤讴、龙舟的这些艺人。

第二个源流是什么呢？20世纪二三十年代，诞生了一位讲古大师，就是到现在还让大家记忆深刻的李我。他并不是传统的说书艺人出身，是南海十三郎的徒弟，是编剧出身的。他被电台邀请，才进入了广播业。他真的厉害。今天我们评书的话本，是上一代艺人把这些故事的梗概，通过师带徒的模式，给传承下来的。但李我大师是怎么弄的？他因为经常要“度桥”（想点子），进行戏剧构思，编故事都成一种习惯了。他拿起报纸一看——今天有个凶杀案，现场发现了一只绣花鞋、一只高跟鞋，在电台现场就马上编，编出一个章回体的故事。最后今天的故事讲完了，还能够落下一个悬念，即系下一个“扣子”，明天继续编。故事是即兴编撰的，有开头，有结尾，很完整。这是一种什么样的能力？这是一种什么样的本领？

他当时的影响力到什么程度呢？据说有一天中午他去了澳门赌钱，赶不回来。这可坏了，电台已经预告今天讲《一双绣花鞋》大结局。现在却找不到人。丽的呼声电台总监赶紧租了架直升飞机，把李我从澳门拽回来。之所以李我能坐直升飞机回来播小说，是因为当时真的是万人空巷，所有人都等着听他讲古。当时有一句流行语：“李我讲古，包衰收尾”，就是说他的故事结局一定是坏的、衰的、悲惨的、悲剧的。但这个悲剧，又是最能勾人、最能吸引人的，也最能够让人产生悲天悯人之情，向世人传播“善有善报，恶有恶报”的道理。他把中华的戏剧技巧还有很多报纸、电影的相关写作手法，都融到故事里面，成就了我们粤语讲古灿烂辉煌的一页。

第三个，传统讲古。原来在街头讲古，要用很多的技巧，比如定场诗——进场是这么一念，让喧嚷的环境静下来才开始讲。讲着讲着，他就抛出一个“钩子”，即设置一个悬念，吸引大家的注意力，目的是把“扣子”给系好。所谓“扣子”，是借用了相声的术语。在抖包袱“三翻四抖”的时候，我首先要绑好“包袱”，再打上这个“结”——这就相当于（讲古里）系上这个“扣子”。有时候埋下了伏笔，抛下了“钩子”，把大家吸引以后，还要把“扣子”系好、系稳，在最后能把这个“扣子”给解开，把故事圆起来。不能抛下了“钩子”，最后不能自圆其说，这个包袱就抖不响了。

有时候评书艺人讲到“大扣子”的时候把它系住，然后开扯其他的。譬如说，讲《隋唐演义》，讲到秦琼卖马的时候，他是怎么讲的呢？“我要准备卖黄骠马了。卖给谁呢？”——这就是个“大扣子”。这个时候听众聚精会神，他却先说：“要卖的这个黄骠马有什么厉害之处呢？它在我们的中华名驹榜上名列第八！”那第一名是谁？他就不告诉你，先说这第七是谁——的卢马！的卢马为什么厉害？刘备飞跃檀溪骑的就是它。这的卢马身长多少，脚长多少。它既救主又害主。它怎么救主？哒哒哒说一通。它怎么害主？哒哒哒又说了一通。然后，“的卢马如此厉害，但还比不上我们的黄骠马，那这匹马又准备卖给谁呢？今天故事到这儿，对不起，欲知后事如何，明天再讲”。那你今天就得给钱，不然明天他怎么来？到了明天，他讲要准备卖黄骠马了，又说：“但是你想想在中华名驹榜上它并比不上第六匹——赤兔马。”赤兔马怎么样？哒哒哒又这么说一通，最后说“关云长用的就是这一匹赤兔马”。“可赤兔马很厉害，也比不上我们黄骠马。那它要被卖给谁呢？好，今天的故事就到这。各位打赏打赏，明天继续。”这就是“大扣”扣“小扣”，卖一匹马，他都要卖个十天。传统故事里面有很多这种“扣子”。这是为啥？就是为了到观众面前去讨钱，要不断插话，插到这个程度。这是个传统技巧，但这里面的艺术成分又有多高呢？

五 “解扣子”与吸流量

以前讲古人的很多技巧，都是应现场讲古需要而生的。所谓的“武十回文十回”，说的就是这样一些技巧。它等于是一种“插叙”，考验说书人的知识储备。譬如说到武松打虎，武松为什么三拳能打死这老虎呢？我先说武松的出身，也能说个十回——这是说书人自己融合其他故事的创作了。“武十回”里可以讲：武松他是怎么学艺的，以前又遭遇过什么事，这是一回。拳头打过去，今天为什么能够打得出来，他劲儿是怎么运的，这个功是怎么来的，又一回。第三个，他那有名的三招是怎么回事？第一招是怎么用的，第二招是怎么弄的，第三招——最要紧的这一招又是怎么弄的，又说了一回……这就是有关“武艺”的十回。“武”可以说刀枪剑戟，人物的出场亮相、兵刃马匹。有关文场的戏没有“打”了，但是有“说”，比如我跟你怎么样对谈，我跟你有什么恩怨纠葛，这个由来是什么……“武十回文十回”并不是固定的，每个讲古人都有自己的话本，每个师傅教的可能有不同。这不同的地方在于，你把故事讲到哪个节骨眼儿上，抛下的这个“钩子”能有足够的吸引力，把大家的注意力吸引住。你的听众不解开这个“扣子”的话就心痒痒，舍不得走。

用今天的话来说，这么做就是为了把流量留住。现在我是通过不断地输出内容把流量留住，不断地打广告（赚收益）。以前没有广告，就靠现场的门票。你来一次就要买一次门票，对不对？说到节骨眼儿上，你想听吗？该给钱了。好，给完钱，我是继续说了，但是我没有解开这个“扣子”，又说另外一段故事。故事说到最后又回来了，准备解“扣子”了，但是时间不够了，“对不起，明天再说”。明天你来了，我继续说，说到这儿了，又该给钱。给完钱，我又说了一段，但还没解开“扣子”，那你得继续再来。如果说的故事够精彩，听众不走，我就在这个节骨眼儿上，起码能连赚你几天的钱了。

如果是知识储备不够的讲古人，把这“钩子”抛出去，解开，今天就完了，只赚一天的钱。如果一个说书人知识储备够，肚子里有足够的“料”，他能把天文地理知识都糅合到故事里。他能用他的创造力、想象力把这些故事给圆回来——故事也就是这么发展的。单独说这些知识，人家不一定听，但讲古人把这些知识放到这个故事的节骨眼儿上，就能连带着说出来。当他说到一个大的“扣子”、大的节骨眼儿时，大家都很想知道结局或是某个关键点，他又偏偏在这个紧要关头突然间来个转折，把大家的胃口给吊住，然后说别的一些内容，不断地往里面塞其他东西，不断地用小故事来拖住大家听大故事的瘾头。当然了，那一段故事也是有内容、有情节、有转折的，也相当精彩，所以不知不觉间，大家听着听着，时间就到了。说一天拖一天，说一天拖一天，拖到看着不对了，听众已经不耐烦了。讲古人赶紧把扣子给解开，然后继续。

现在的电视剧，特别是美剧，都不断地在运用“解扣子”的技巧。像悬疑类、犯罪类的剧集，在开头抛出一个大案、一个特别吸引人的主线，说到关键点（主要矛盾）的时候，比如“这个人的真实身份是什么”“他丢失的文件去哪儿了”，情节突然间断开，不断插入日常的要解决的那些案件，一集一个案子，拖到这一季的结尾时，又提一提那个主要矛盾怎么了，接着把这个主要矛盾留到下一季去。

现在也有些讲古人会用这个技巧，但我觉得到了现在这个技巧要慎用。现在不同以前了：以前听古是娱乐的主流，大家没有别的娱乐选择，所以只要你讲得够精彩、够吸引人，大家就会跟着你走；但现在娱乐活动多种多样，触手可及，听众容易被吸引到其他娱乐活动去。现在的听众多聪明啊，他们知道：“你不就是想骗我多一点时间，骗我多一点流量，骗我多一点订阅吗？不干！”而且现在节目的购买方式也跟以前不同。现在我可以连续订阅整个系列（故事），也可以单独地购买其中两集（故事），所以如果你要系“扣子”，就要求（“扣子”）本身的那些内容也是非常精彩的。现在的选择是多样化的，你的那些小故事可以单独成篇，成为一个小系列，只要内容够好，大家还是会购买收听。在网络上，你如果说得不好，如果只是插科打诨，就很难留住听众，马上就被听众所淘汰了。如果你要在每一集里面注水（指在讲古中加入可有可无的内容），无论是注水量、注水的方式，还是注的内容，你都慎重考虑，不能太急。

六 传统派？学院派？“我介乎这两者之间”

因为我学的是传统戏曲，所以我更能理解传统艺术的套路。但我讲古启蒙及演播的过程，都是以张悦楷老师的这种受西方戏剧影响的艺术为蓝本和范本的。我不敢说我是学院派的，我也不能说我是传统派的，我介乎于这两者之间。它们的优劣，我不评说。我只说我的感想：

我们先说粤剧。粤剧里有很多独特的唱腔，还有很多精细的词语。那些经典粤剧里面的唱段、词，写得那叫一个好、那叫一个绝，还有那些唱腔，那叫一个纤细。这些作品是怎么形成的？当时有一帮有闲文人，我们的西关大少、东山少爷。那时候，他们也爱追戏曲名伶。那他们要靠什么来打动这些戏曲名伶、把她们追到手呢？就是给她们编曲、写词。他们所留下的种种曲词，极大地丰富了粤剧的戏曲艺术，提高了粤剧艺术的水平。

粤剧传统的伴奏乐器是“五架头”，还有掌板、扬琴等。但是，在粤剧最辉煌的20世纪三四十年代，我们的粤剧大师马师曾，还有薛觉先，他们干了什么事？那个时候，他们发现歌厅里面的萨克斯管演奏很好听，马上让萨克斯管乐手加入粤剧的伴奏乐队；小提琴很好听，就把它加入粤剧的表演艺术框架里面；《魂断蓝桥》这部美国电影的主题曲很好听，马上就把它加入粤曲小曲里面。这就是说，我们所谓的传统艺术，它要不断步入而又越过时代去继续流行，继续走在人们欣赏水平的前端，那它就必须不断融合今天人们所接受的新的艺术。当艺术拒绝丰富、拒绝吸收，就离没落不远了。

现在我们的非遗讲古，老是说一定要有以前讲古的状态，那才叫尊重。但是依我说，所有的艺术从来都在流动和发展当中的。只有不断地跨越时代，为不同的人所接受，才是真正继承和发扬了传统。习近平总书记说，对传统文化是要开创性地去继承、创新性地发展的。不论是粤剧，还是我们的讲古，从来都是在不断地兼容并蓄，不断地去吸收旁类，是在不断地吸收中西方艺术文化的精髓中发展起来的。不吸收这些东西，讲古能够发展吗？能够征服一代又一代的人吗？老套路、老段子和老方式，还能够征服今天的年轻观众吗？举个例子，郭德纲说的是老段子，但他的内容全都是新的，他所运用的很多技巧、形式和节奏，都是与时俱进的。

传统自身有它的局限，我们不能说坚持传统就只能一成不变，甚至是拒绝其他艺术进入自己的体系里面——不能说这才是非遗传承。很多人都说我们楷叔（张悦楷）、明伯（林兆明），还有一众话剧演员，包括李伟英老师、梁锦辉老师等，加入讲古的队列，是“串行”了、“跨界”了。但恰恰是这种“跨界”，把现代的话剧艺术、表演艺术融合到传统讲古里，我们才能见识到如此精彩的人物、如此精彩的节奏、如此精彩的技巧。传统讲古的“传统”，不仅仅在于所谓的坚守，在于同时不断吸收和发扬。其中首先要考虑的就是观众接不接受的问题。当然现在还有人接受这种“传统”讲古，只是越来越少了，那些艺人就让“政府快来保护我，快来让我做非遗传人，快来补贴我”，那么，这种“传统”就成了一种靠补贴的艺术。还有一部分需要保护的艺术，那就是准备进博物馆的。但是，如果还要让它在人民的土壤里面生存，不管是什么样的艺人，你必须有这种自觉，就是向前看、向年青一代看、向新的艺术形式看。而我也老不安分，讲小说不仅用音效来，也用广播剧的形式来，因为我坚信一点：讲古只有不断地发展，才能为更多的听众、更多的年轻人所追随，才能让自己的故事更具吸引力。

七 如何讲出“广东味”？

再说到受西方艺术影响的学院派。是不是说吸收了西方艺术，就一定是上了一个台阶呢？首先我非常敬仰楷叔和明伯，他们两位是我永远的偶像。楷叔和明伯为什么到今天仍然被封为粤语讲古的泰斗？因为他们在深刻理解西方表演艺术的同时，对传统的文化艺术和内容非常了解，能够深刻理解

"广东味"——他们两个都是广东人，有深厚艺术功底，他们的表演艺术能够让那么多人喜欢，不单是因为引入了所谓的西方艺术的内容。

这种"广东味"是从哪儿来的呢？我深入地研究了两派人的广东音乐：一派是广东音乐曲艺团的老艺人一把手传下来的，广东本土一代一代传承下来的音乐；另一派是星海音乐学院的教授们打造得非常精巧的广东音乐。如果是老广，你会听出差别来。明明是同样的曲子、旋律，星海音乐学院的教授演奏出来的广东音乐，技巧高超得多了，可怎么它就是没有"广东味"呢？为什么本土艺人他演奏起来就有这味儿呢？我觉得，这种"广东味"是只有当你脚踏这片泥土，在这个地方生活，感受和认识很多的人情伦理，才能培养出来的。

当年第一代的广东相声演员黄俊英、杨达能够成功把相声艺术从北方移植到南方，并形成了南方的戏剧的一个品种，流传到今天且形成一定的影响。为什么是他们呢？那是因为他们具备了相声演员的基本素质——"说学逗唱"。比如说杨达。"说"指语言能力。"学"，他学魔术出身，又唱了那么多地方的民歌，他对旁类艺术有天然的吸收能力。"逗"，指技巧，那就不用说了。"唱"，他能唱闹房歌、中山民歌，能唱粤剧。他就是因为身上具备了这些兼合传统与现代的艺术素质，才能够成为一个相声演员。黄俊英也一样，"周身刀，张张利"（技艺多且精通）——无论是"唱念做打"，还是乐器，他都在行。如果不具备成为优秀相声演员的艺术要素，没有了自己的吸收贯通，他能够成为一个优秀的相声演员吗？不可能。

所以说，不论是所谓的传统的讲古人，还是将西方戏剧艺术加入传统讲古行列的艺人，还有我一直敬仰的李我老师，他们都对中华传统文化有非常深刻的理解。文化根植在自己的灵魂当中，这是一个底子。另外，他们对这片土地、对岭南文化的理解，是根植于自己心中的。然后才能灵活运用那些外部的技巧，让这些技巧成为有力的武器。

不论是谁，都应该要认真地去钻研自己的艺术学问，弄懂传统艺术的精髓是什么，认真地去思考一下你所掌握的艺术技巧，认真地思考一下听众的需要，然后用听众喜欢的方式来演播。粤语文化的根、魂在哪里？文化的基因在哪里？怎么样把它融合到你演播的作品当中？怎么样把一篇篇作品流传下去，并（还）能够让人听出“广东味”？这才是最要紧的。争论（传统派与学院派）谁优谁劣，我觉得这是一个不值一提的事情。

粤语讲古的其中一个意义，就是把广东人的文化基因刻在这一个个故事里面。如果是本土的讲古人，他会在这一个个故事里面不由地用上很多广东俗语，用上很多广东人的思考逻辑，用上很多广东人的行为习惯。何为广东？何为岭南？在这些本土文化作品和这些艺人的传播方式里面就能够得到真正的体现。所要流传的“广东味”，所要传播的广东文化基因，还有我们岭南人的特色，恰恰就在我们本土戏剧的唱腔里面、那些撰文写词里面，在每一个粤语讲古人的故事讲述里面。譬如说我讲的《点解要我做道士》（为什么要我做道士）。原本故事描述的场景是在四川，我把它搬回到顺德，以我熟悉的本土文化，赋予人物特色。它要讲有乡音的，那我就会讲南番顺话（指今佛山南海、广州番禺、佛山顺德一带的粤语方言），讲广东的俗语和方言。当你听到这样的话，它一下子就把你拉回到广东这片土壤，一下子令你觉得很亲切很熟悉，是吧？就是那个味儿。同时，广东人的文化基因也在这样的艺术氛围里面得到传承。我是觉得，这就是粤语讲古到今天要继续流传的意义。我会讲普通话，但我还是很喜欢我们的粤语，我还是会为它的传播而奋斗一生。

网络这一块，喜马拉雅是最早来找我的，可我当时只想专心自己的工作，所以没有把这件事放在心上。但之后我发现我的作品被很多人传到网上了。一来我认为这是听众对作品的肯定和喜爱，二来这也是粤语传播的机会和方向，三来我这个人版权意识比较薄弱。当时没想着去为这件事情奔波，放任它在网络上传播，结果网上传播所收获的反响比我们在本土传播的反响还要热烈，我才开始重视这个问题，并跟喜马拉雅进行了一些合作。由于我现在的主力工作还是在番禺融媒体中心，所以也没有过多考虑这些讲古作品的经济价值，就把这些作为一份心意，助力粤语与粤语文化的传播与普及吧。

彭嘉志：一个“老派”的讲古人

采访者：储冬爱、陈周起、李雯、詹恬、罗美君

整理者：詹恬

受访者：彭嘉志，男，1989年出生于广东广州

采访时间：2020年4月14日、11月15日

采访地点：腾讯会议（线上）

彭嘉志

受家中长辈影响，自小爱听讲古。14岁师从颜志图，18岁在广州“金扇奖”广州市民讲古大赛中夺冠，被媒体报道为“广州最年轻的讲古佬”，在父母眼里“有些不务正业”，自认为是个“老派的人”，希望“能把古人的生活方式重新复刻到自己身上”。

一 “外公外婆是我讲古的启蒙者”

接触讲古应该是从我读小学开始，如果再说早一点的话，应该是幼儿园时期，甚至是会说话、会听东西的时候。最早给我讲故事的是外公。他以前在中山的三乡[①]。他小的时候，村里面的大榕树下有老人家——我们叫“二叔公”——相当于村中的长老在讲故事。长老跟他说了很多以前广府民间流传

①三乡：广东省中山市下辖镇，位于珠江三角洲中部、中山市南部。

的故事，有陈梦吉、伦文叙这些人物。广府民间有这样的习俗，每到茶余饭后、农忙之后，小孩子、大人都喜欢在大榕树下围坐在一起，去听一些长老谈天说地——这些老人家不是专业的说书人。外公就把听来的一些故事跟我说。

除了外公，外婆也是启蒙人。外婆是正宗的西关小姐，她以前会跟我讲很多老西关旧日的故事，所以现在我搞创作，有时候也会问她一些老西关的回忆。因为她是真真切切经历过：从日本入侵到解放战争结束，整个老西关当时发生了什么事情，老广州的生活回忆是怎么样的。她会说出很真切的感受来。这些也是她激发我对于这个城市往事的想象。我很小的时候爱听故事，总是掏出一份广州地图，很想把老广州的脉络摸清楚。从初中我正式跟着师父接触粤语说书开始，我才知道，其实我以前爱听的这些故事，这种表演的方式，跟我现在学的这门艺术，是两类不同的东西。

我要从事讲古，家里人没一个认同，外公外婆他们两老都认为这个行业是没有前景的，比较适合做副业，只能当成爱好，甚至我自己也觉得这个事情是没有希望的。但我觉得自己要去做，如果连我都不去做，就没人去做了，我太爱这样东西了，这东西要是没了就太可惜了。有些人可能把说书或者讲故事作为他进入某个圈子、某个领域的一个垫脚石，一个过渡期的行为，我觉得这是可以理解的，每个人都有每个人的追求。当时因为说书我接触了很多的行当，我可以做很多事，有非常多的选择，现在也是，但我最终还是选择了继续讲古。2007年我有机会进入广东音乐曲艺团，团长跟我说：“你不如进入我们曲艺团，就学说相声，搞曲艺表演算了。”又说如果要做这个，必须在说书上面放弃很多。我一听到这里，马上就打退堂鼓了。我心想不行，说相声的人很多，但是说书很需要我，我必须站在这里。2012年，我刚毕业，当时想签电视台。电视台领导跟我说，签了就要做编导，你自己很多的事情以后可能要放弃，你自己想清楚。当时领导也懂我的心思，知道我是很爱很爱说书的，所以他劝我不要签电视台。到现在我还是没签电视台，就是为了有最多的精力和时间放在说书这个事情上。我觉得这并不是伟

颜志图、彭嘉志师徒于广州中山四路万木草堂内拍摄粤语说书宣传片时的剧照（2018年4月2日）

大，是因为我太爱这个东西，我可以失去比较安逸的生活，但是我不能失去我说书的生活，我是这么想的。

二 “异类”？“老派的人”？

我读小学的时候，下午四点多钟自习课结束，一放学我就掏出收音机，一直听着收音机回家。我家到学校大概10分钟的路程，我全程都在听，回家吃饭的时候也会戴着耳机去听。那时候刚出那种小款的、袖珍式的收音机，是可以用耳机听的。因为我外公觉得听古对学习没帮助，不喜欢我迷恋这些东西，所以我是偷偷地塞着耳机，一边听一边吃饭。

当时基本上没有同龄人喜欢，我算是一个“异类”。我很明白世人为什么会把做这一行的人看作“异类”，因为大家认为这一行跟时代脱节了，而且做这一行的人肯定都是日子过得不好的。说真的，做这一行确实挺累的，而且收入也不能很好地解决生活的问题。“为什么这么辛苦还要去做这个事？”“为什么这么多的选择你们不去选更好的，而要选择这个东西呢？”

彭嘉志（前排中）与弟子于广州大佛寺前合影（2017年9月26日）

所以我会有一种赌气、不服气的心态，我希望能够通过自己的努力，改善这个行当的生存环境了，让讲古更有活力，让以后学这个东西的人都觉得是有希望的：艺术创作和表演能解决他的生活问题，能过上体面的生活，不再被人看作“异类”。

我自认为是一个比较“老派”的人，我定义的“老派”：比如日常生活的语言能继续使用一些很地道很古老的广府话语，对广府的文化历史有很深的认识、有很独特的见解，而且有深切的老式广府的生活体验，这几样东西是基础。具体到怎么样的生活才是“老派”的？各有各的认识。我觉得在工作之余，有足够的时间做琴棋书画之类的雅事：能有一个闲暇的下午听听地水南音，能约上三五个有共同志趣的朋友唱唱曲，弄弄私伙局；或者一起借景抒情，即兴吟诗作词写画，泡壶茶。这就是一种挺“老派”、挺有意思的生活。

我向往古时候的生活方式。如果有一天全世界都没电了，大家点油灯是一件非常浪漫的事情。我很想哪天能把以前古人的生活方式重新复刻到自己身上。没学讲古之前我已经很喜欢这些东西了，学了之后我更加迷恋、更加知道传统生活的方式应该怎么去追求。身边的朋友都是这种人，“神神怪怪”的一群人。

在工作室练习胡琴（2016年2月）

三 讲古不等于说书

我从一个说书人的角度去看，家中长辈跟我们讲故事，它只是一种语言信息的表达——他们把听到的转述给你听，而不是艺术化地把故事给讲演出来。讲古，就是讲故事。粤语讲古，就是用粤语去讲故事。我总跟专家说，粤语讲古不能作为一个非遗项目，非遗项目应该是“粤语说书”。只要懂粤语，任何人都能讲古。有个小孩子今天在学校里被老师批评了，回家后将这件事用粤语告诉父母，也是在用粤语来讲古。

我跟师父（颜志图）学之前，听的基本上是广播电台的有声书，而不是粤语说书。我最早听的是张悦楷、林兆明，还有梁锦辉。后来我也听过说书艺术流派前辈的作品，应该是侯佩玉的，在我坐的士的时候听的。当时的士司机播一个光盘，我说我在电台没听过这个声音，他说是在广州中山五路的陶街卖CD、DVD[①]、唱片影碟机的地方淘回来的，录了以前电台的节目。我记得那个光盘说的是洪熙官[②]，不像广播有声书的那种风格，不像张悦楷、林兆明那种风格。后来我推测，这个人应该是侯佩玉，也就是我师公。听老前辈说，我师公的作品，现在已经很难找到了。“文革”以前大多数的广播作品，不论是有声书，还是说评书，在电台，录一盘当晚播完就洗掉，第二天再录新的。盘带都不会保留下来的。改革开放以前我们说书流派的作品，很多没有保留下来。如果保留下来，数量应该也挺大的。

颜志图（左）、彭嘉志（右）于广州番禺沙湾镇拍摄MV《讲古》，二人候场时合影（2016年4月28日）

电台里的张悦楷、林兆明的作品，是声音对文学作品进行加工，并艺术化地表达出来的作品，这是我对电台有声书的定义。

而我把说书定义为：它是一种曲艺化的、对传统文学作品的加工，或者说是在文学作品中获取题材，进行戏曲化、曲艺化创作的过程。

第二点，我是这样去认定讲古人和说书人的：讲古人，其实是非常广泛的称呼。我经常说每一个人都是讲古人。一个画家，用画画的方式讲述故事，是讲古人；一个导演通过电影去讲述故事，是讲古人；一个老师以他课堂的语言讲故事，也是讲古人。从曲艺的层面来说，“讲古人”不属于一个严谨的身份定义，比较严谨的是“说书人”。尤其是在广东，很多人都没有

①CD：激光唱盘。DVD：数字激光唱盘。

②洪熙官：明末清初人，籍贯广东花县，少林弟子，洪拳创始人。

认识到什么是说书。也有很多人误会，觉得说书就是把一本小说翻译成方言然后背出来。其实不是的。说书有一套自己的流程和处理故事的方式。说书应该是说书人在不局限于小说的基础上，去挖掘题材，然后创作话本再进行舞台讲演或表演。这才是整个说书的创作和表演过程。

为广州番禺德兴小学师生表演粤语说书（2016年4月26日）

四 粤语说书的四个特点

粤语说书（讲故事）分出了以唱为主的和以说为主的。地水南音、木鱼书、唱龙舟，还有数白榄、粤讴，这些都是以唱的方式把故事给讲出来。以前说书学会分两帮人，一帮是说的，一帮是唱的。所以不能说北方有唱，南方没唱，其实天南地北都有唱，天南地北都有说。而各地说书的区别在于使用的方言，就像京剧和粤剧一样。

粤语说书跟北方、江南或者西北当地的评书都不同，区别在语言。

粤语说书的语言特点在哪里？我是这样理解的：粤语的语调、语音结构相对来说比其他地方复杂一点。普通话只有四个调，粤语的音调比较多，所以语言表达会更丰富，这是第一个特点。

第二个特点是，语音的局限导致我们说书的音域不能像北方一样高，我们说书的语言都比较和缓，以短句为主。北方的评书以长句为主，一上台就是啪啦啪啦一串话。南方的说书，都是把一个句子砍成几块。像一句话：“你今天吃饭了没？没吃饭来我家吃。”北方会这样说。但粤语说书会这样停顿：“你、今天、吃饭没？没吃、饭、来我家吃。”对长句，要把它砍成短句，艺人才够气息，把那个字、那个音发出来。所以我们的说书是以短句为主的，北方的是以长句为主，这是我留意到的一个区别，语言方式是不一样的。

北方的说书有很多炫技的地方。他们会说一连串的顺口溜，去压场、镇场，如上来就“来一个兵阵，什么阵？一字长蛇、二龙出水、天地三才……”。粤语说书以俏皮话为主，很少像北方一样，粤语结合了中原话、百越的土话，还有其他外来语，所以粤语说书中有很多艺人自创的、具有广府特色的俏皮话，这是第三个特点。

第四个特点，粤语说书能表现很多古代汉语的传统元素。不是说粤语说书保留了古汉语，它就很高雅。要面对观众，太雅的话，观众未必听得懂。其实北方也好，南方也好，语言表达还是要偏向通俗的。因为在古代讲古不是太高雅的东西，就是普通的娱乐文化。而且讲古的格调与艺术家个人的修养，个人的文化水平也密切相关。不同的艺人，艺术经历不一样，文化水平不一样，说的词就会不一样。面对的观众不一样，他也会调整语言的特点。我们一些说书的老艺人，像陈干臣，他上过“卜卜斋”，所以他的文辞很

广州文化公园第61届羊城菊展“粤语讲古”专场，颜志图（左九）、姚焕然（左十）、彭嘉志（左十一）及师徒合影（2020年11月21日）

雅。有些艺人闯荡江湖多年，说的话就很俏皮、很俚俗，有时候还会隐隐将一些情色的东西揉在里面。

五 “我更追求传统的说书味道”

在现场说书是最爽的，因为可以马上跟观众互动。我教徒弟和学生：说书不是一个人在表演，而是说书人跟观众共同在表演。如果你的表演只是别人在听、你在说，这场表演是不成功的。什么是成功的说书作品？就是你在说，还能把所有的观众都调动起来。说书作品是说书人跟观众共同完成的，所以现场说书当然是最舒服的。

感觉第二舒服的是电视。上电视我们不能NG，也是全脱稿，要注意跟镜头的交流。在录影棚里，要把摄像机想象成观众，想象他们听了这句话可能有什么感觉。你跟摄像机的距离能与现场跟观众的心理距离一样的话，那就容易有好的作品出来。

我觉得比较难受的就是做纯声音的东西。因为一个人在录，凭空想象作品出来之后，观众的反应是怎么样的。做纯声音作品，从难受程度来说其实是最高级别的。

我是这样去处理作品的。如果是现场说书，我“备课”是把要看的资料看一遍，把提纲写一遍，把要记的东西记到脑子里面。现在基本上一场就一个半小时，一个半小时的稿，可能要一个星期的时间才能写出来，但是我今天演完，明天还要演，连续演，根本来不及写。所以我们都打腹稿，把故事的构思、提纲记在心里了。以我目前的功力，一个半小时的作品，需要备课三到四个小时。如果功力好的话，一个半小时的作品，可能备课只需一个小时。

电视就好办了。因为在电视说的，很多是现场说过的，把提纲理顺就可以直接录制。在电视上面说书，看不到观众的反应，这就要靠平时在现场掌握的度。我有现场经验，在电视录制的时候，大概知道这句话这样说他们喜

在广州五仙观广场南粤讲古坛讲演长篇小说《楚汉争霸》（2020年10月）

欢，那样说他们不喜欢；说到这个份上，他们的感觉就会来了。如果说书人没有现场的经验，直接录制电视节目就会表演生硬。你说一个笑话段子，说完之后，观众反应有几秒——我们是要算的。说完一个笑话，不要马上就切去下一个话题，你要给3到5秒钟的反应时间。所以看那些说相声的，他们说一个笑的东西，就会停下不说话，等观众去反应。这就是跟观众的一个默契。算准了这个时间，知道节奏的话，上到电视上就是在跟电视观众同步了。

在声音作品（电台）的创作上，对于长篇我基本上可以不用稿子直接开始。每录一段，我就理顺一下思路，一口气录出来。我想给别人在现场听说书的感觉，不希望在电台录出来的，跟在现场看的风格、声音的音质、气息有太大的区别。老前辈都说，在现场可以放开嗓子，用中气去把故事给说出来，到电台里要把声音压着，像谈恋爱一样把这个故事录出来。相反我不追求这种。如果在电台录音要特意去改变自己的用气方式，那别人听起来就没有那种传统的说书的味道。我更追求传统的说书味道——听我的纯声音，和在现场闭起眼睛听我说书是一模一样的，音质和用气的位置是一模一样的。包括电视也是，电视台的录音设备非常灵敏，说一句悄悄话，通过后期都可以很响亮。但是我还是用在现场的那种音量和音色去表现。因此，录纯声音的时候，一般说话的人要拉近麦克风，但我为了保留传统的味道，特意把麦克风拉远。因为一拉近，用现场那种气息去说就会“爆麦”。我会把麦克风拉远，然后像在现场一样放着醒木、折扇这些道具。我会站着表演，就当在现场一样。

组织材料，创作说书话本

传统的说书味道，首先体现在发腔方式。平时用粤语交流，和粤语说书的腔调是不一样的。断句的方式不同，我做过一些纪录片节目，配音是一个逗号一口气。但是说书不能这样，如果一个长句连续去说，说出来就没味道了。还有，发声的位置也不一样，如果纯是有声书，发声位置可能只到喉、到胸，而说书必须到肚子。我是追求这种传统的发腔味道。

说书这种艺术形态，如果要在电视或者其他视频平台上传播，最优的表现形式是做有现场观众的录制——观众也是需要有伴儿的。如果我对着摄像机讲故事，把它录下来，放到视频网站去播，然后你一个人在家里，看我对着镜头跟你说，你是没有感觉的。但是如果我说这个段子的时候，现场十个八个观众，观众的表情、反应也录到这个视频里面，你就觉得你跟现场的一起在听我讲，会觉得有伴儿。传统的曲艺是需要有伴儿才有气氛。

六 “粮草不足”，何以推广？

粤语说书可持续发展，我认为目前只有两条路。要不就政府砸一大笔钱，虽然现在政府对于传统说书也有扶持，但是钱不够，“粮草不足”。要不就是有商家或者天使投资人扶持，把它盘活。世道难行钱作马，没有钱去开路，我觉得搞不成。

◐ 参与广东广播电视珠江频道综艺节目《超粤未来广府话大赛》录制，介绍广府话知识（2020年8月21日）

粤语说书发展到我们这一代，跟老一辈的社会环境不一样。老一辈可以很安心地去搞创作、搞表演，只要演出好了，收入就到了，生活问题就解决了。但是现在我们除了考虑搞好创作、搞好演出，还要处理很多与演出相关的事情。譬如我们必须去对接客户，以前都是以单位的名义、以组织的名义去沟通，现在很多行政的工作压到我们身上，财务的事情也要处理。这个行当太缺人了，很多事情只能自己去担当，自己担不了，也要掏钱去请人做。另外还有的压力是，我们要考虑到抢救性保护的问题，粤语说书以前是能赚到钱就做，赚不到钱就可以不做，但现在即使赚不到钱，贴钱还是要继续做。

我们看到网络直播出了很多大腕，看到新媒体对于文化推广作用，但没看出为什么他们能红。这种红是通过矩阵的形式去筛选出来的。投资20个直播节目，每一个节目做几十期一百期，这样去砸钱，前期必须有很多的资金砸到里面。借新媒体平台的力量做推广，这些规则大家都懂，问题是我们要顾着个人的生存、团队的生存，基本上拿不出时间精力去做推广。假如我们要推网络直播，就要做内容，要有制作团队，撰写剧本、拍摄、做后期、找推手……这些都要用钱。我们本来人就很少，现在剩下三个说书人，两个老的一个嫩的，嫩的就是我了，我要搞创作，又要教小孩子，又要搞抢救、记录。我也想搞推广，问题是没有精力。如果有大笔资金投入，能组成团队，真的下大力气去做，从理论上推敲，不会超过三年，就能出效果。目前我们在校园、在社区做推广，也做了自己的网站、公众号，该做的都有做，但是效果至今还没看到。

短视频以三十秒或者十来秒的时间去表现说书是很难的，艺术以外要有故事。很多人看北方说评书、说相声的段子，看的不是他们表演有多精彩，而是看怎么去跟观众逗。新媒体不对艺术做完整展示，但是它能引导流量。比如说德云社很多视频都是跟观众逗乐的小片段，对一段二十几分钟的相声，平台只展示一两分钟，吸引了很多人关注并希望去现场感受气氛、看他们说完整的。可见，新媒体还有很大的利用价值。

在这几年的实践当中，我们有引入比较新颖的观念——我们把它定义为跨媒体的传播。把故事编成书，配粤语说书以漫画插图，通过线下的“非遗进校园”把书带进去。书是纸媒，里面植入二维码，用户扫描二维码通过手机移动平台听到我们的声音作品，看到我们的视频作品，而且能变成高黏度的网络用户。通过网络的资源把他们调配到线下活动中，这就形成了一个比较有效的传播的闭环。

新媒体是不是长久，以后说书是不是只能放在新媒体？不是这样的。新媒体可以做推广和引导流量，但不能作为说书完整展示的平台。有些东西是永远没法用科技去取代的。举个简单的例子，多漂亮的字打印机也能打出

彭嘉志携其书作《童说岭南》到校园开展粤语说书故事会（2019年11月1日）

◎ 广州庙会期间彭嘉志在公园前地铁站为市民表演粤语说书（2017年2月15日）

来，但是它无法完全表现手写字的神韵。说书也是，VR（虚拟现实）再发达也永远无法取代在现场看到的表演。

七　与市场脱钩：粤语说书的困境

粤语说书目前的生存空间只有依赖小孩子了，因为广东没有说书的消费习惯。有声书还有市场，有一些人愿意去购买。但是你让广东人到现场买票看粤语说书，就非常难。不像北方，北方一百多年来都有买票看表演的行为习惯。

我不认同有些人说“你们是民间说书的，我们这是电台说书的”，任何艺术都是为人民的。因为成立了说书学会这个单位，所有的说书人变成了编制内的艺人。你去表演，一个观众也好，十个观众也好，都是给同样的钱。坐满了观众，也是一千几百的演出费；只有一个观众来，也是一千几百。把这些钱上交给单位，按职称级别发工资，那艺人的积极性就没了。

没有说书学会之前，很多艺人不愁吃穿的，说好了一场演出，钱就来了。有了说书学会，大家拿同样工资。好像以前就分三级：一个是实习生，即学徒；一个是见习学徒；一个是师傅。学徒是没有工资的，见习学徒拿一半工资，转为师傅了，是正式演员，就拿工资。如果正式演员，演出得很好也收那个钱，演出得一般般也收那个钱，怎么提高积极性呢？他会想，反正我随随便便说书，就能拿钱，何需这么卖力？“文革”前说书学会创作了一批革命故事，精雕细琢，很多艺术功力都集中在里面。1950年以后，并无多少优秀的说书作品出现。

革命题材有创新，但传统题材基本是没创新的，已经退化到什么程度呢？慢慢回归到“我把这个故事给说完就算”。没有说书人自己的东西加入传统题材里面，这才是对传统说书最大的破坏。很多人说，传统说书要寻找新的题材，我是不认同的。传统题材够说八辈子了。你看郭德纲，他就说《济公传》，明清时候的作品，他上台一样说得好好听。即使是看过《济公传》这本小说的人，也爱听他的说书，为什么？他对传统题材加工创造展示了传统创作能力。这几十年来，我们都是在说前辈留下来的老话本，没有在

越秀粤语讲古名人堂启动仪式上，彭嘉志带领新收弟子向师傅颜志图、师叔姚焕然见礼（2019年6月20日）

传统题材上创作出新的话本。

北方还好，因为北方还有很多的艺人没有进入体制内，还在江湖上闯荡，接受市场的验证，所以北方的说书有些还是挺接地气的。但广东的粤语说书，先是经历了艺人被收编入体制，到“文革”，一批艺人故去了。到改革开放，粤语说书需要跟市场接轨，但此时完全没有竞争力了。没有竞争力，人才就流失了，就更加没活力，是一个恶性循环。

到现在为止，现场的说书没有人消费。艺术家已经没有了市场敏锐度，不懂得怎么捕捉市场，只是去完成一个表演的任务。另外就是观众没有形成消费的习惯。其实我很反对现在说的“文化义工”，哪有这么多免费的文化。经常看“文化义工”送戏的话，大家会觉得文化是免费的，就没有意愿去消费了，导致了现在只有小孩子教育培训能让人掏钱消费。我们搞赛事，搞才艺的比拼，搞非遗进校园的培训，还是有一点点跟市场挂钩的，能产生经济效益。教的小孩子里，有些是初入门，有些是粤语都还没懂，有些挺拔尖的在省市里面打比赛拿奖。可能一千个里面有那么一两个有心思去传承这门艺术且家长也支持的。虽然传承方言文化也是我们曲艺工作者的责任之

于广州市越秀区东山培正小学开展非遗进校园活动（2017年4月28日）

一，但我们精力非常有限。给不懂粤语的学生教粤语，有时确实令自己挺郁闷的，心想我最大的精力应该用在培育传承人，培育为这门艺术服务的人才。现在“非遗进校园”，学校想到：你是粤语说书的，肯定粤语说得很溜，你就过来教我们粤语。我们变成了学校里面的粤语老师。但如果选择不去教，“非遗进校园”的面就发展不了这么广，我们确实很苦恼。粤语说书急需“非遗进校园”，让青少年认识这门艺术。考虑到这些，我们只能硬着头皮去做。

我现在每年教不少中小学学生，我是这样想的：假如我教10年，有几万个学生接触到说书，这些学生当中有两三个以后愿意坚持做这个行业就够了。剩下那些人不是白教的，他们以后就成为说书的观众，成为消费者。“非遗进校园”为什么这么累还是要做？我们是要培养未来的观众、培养未来的消费者，这才是说书真正能活下去的根本。培养一千个、一万个艺术家，如果他们没有舞台了，没有人愿意为他们的艺术消费了，这个行业还是活不了。

在海珠区少年宫教授青少年粤语说书（2020年9月19日）

后 记

我初与粤语讲古（评书）结缘，是从二十世纪八十年代末，某一日中午听到收音机播讲的那句话开始："原文再续，书接上一回，上次说到……"讲述者的声音浑厚独特，时而慷慨激昂，时而娓娓道来，时而诙谐幽默，时而催人泪下，精彩纷呈的故事飘荡在县城的大街小巷。我所在的是偏安于广东西南沿海的小县，人口并不多，语言却极多，清光绪县志记载称"唐宋以前，壮瑶杂处，语多难辨"。境内居民常用的有白话（粤语）、黎话和海话（闽南语分支）、涯话（客家语分支）等广东三大语系，又夹杂旧时正话、山瑶话、麻兰话等方言。虽然语言多且互不相通，然而，听电台的粤语讲古却成为全县各语系人群的共同节目，几乎人人都守着收音机，生怕错过半句故事。那时我听楷叔（张悦楷）、林兆明、梁锦辉、颜志图、缪燕飞、冼碧莹等名家用粤语播讲的文学作品，从中学到了不少知识和人生哲理，讲古及这些讲述者给我留下了难以忘怀的印记。启动这个项目的时候，我初拜会缪燕飞、梁锦辉等老师，我和他们说："我是听您讲的故事长大的！"想必这也是许多听众见到他们时说的第一句话。

后来我到广州求学和工作，有机会接触到较多广东各地的民间文化艺术，因兴趣也因工作，先后拜访了广东几地的讲古传承者，如广州的颜志图、江门的陈一峰、潮州的杨俊、汕头的陈四文等几位老先生，做过一些访谈。自二十世纪五十年代已经登台的陈四文老师讲述的各类故事，是海内外几代潮汕语系人群的难忘回忆。然而，随着越来越多娱乐方式的兴起，广东的讲古和许多传统文化艺术一样，逐渐没落乃至被人遗忘。电台播出的作品多是二十世纪八九十年代灌录的作品，广州、潮州、汕头等地传统的讲古书场屈指可数。“担凳仔，排头位，个个都来听古仔”的榕树下听讲古的影像，早已切换成榕树下跳广场舞的影像，上述这些和其他曾经影响深远的讲古传承者逐渐声沉影寂。这些故事的讲述者，有着很强的表演能力和深厚的文化功底，也有着许多引人共鸣的人生故事。他们的技艺是如何得来的？他们背后的人生故事是如何的？遗憾的是，这些并未被许多人知晓。有感于此，我便想对广东的讲古传承者做详细的访谈，记录他们的人生故事，给大家留些资料，以予启迪。这是晚辈为一门给我们带来过欢乐的传统艺术所能尽到的微薄之力。但是此事因各种原因耽搁，访谈进度较慢，后来又陆续有令人感伤的消息传来，之前访问过的陈一峰、杨俊、陈四文等先生，准备访谈的标叔（吴元标）、林兆明先生均已乘鹤西去，空余古音。

储冬爱老师有扎实的学术功底和丰富的田野经验，是我求学路上的良师益友。当我与她聊及此事时，她认为此事非常有意义，“应当迅速马上抓紧”，这几个词让我现在回想起来仍很汗颜也很受鼓舞。我们一拍即合，开始一起加速推进。储老师对项目做了专业的学术方向调整，缩小至“粤语讲古”范畴，制订了更为详细的访谈计划，采用了线上和线下的高效访谈模式，并先后申请到了华南理工大学和相关学术项目经费的支持，解决了一个民间发起的经费缺乏的公益访谈项目的痛点；同时，她写了一篇学术论文《小故事与大社会：口述历史中的粤语讲古及传人》并发表于核心期刊《文化遗产》上，对于一直缺乏学界研究和关注的南方小门类艺术，我认为这篇论文是具有很重要的历史意义的，并指导学生李雯完成了高质量的硕士论文《媒介变迁视角下广州粤语讲古的传播研究》。

本书稿最终付梓，绝非我等之力可以完成，需要感谢各方师友的热心帮助。感谢接受访谈的讲古传承者缪燕飞、冼碧莹、姚焕然、颜志图、叶振邦、霍沛流、梁锦辉、李伟英、林劲、彭嘉志，他们是本书的主角，也是粤语讲古的重要亲历者、见证者，他们提供了许多珍贵的照片，不厌其烦地给我们讲述了自己独特的技艺和人生故事，让我们很荣幸地比其他听众和读者先一步领略了这门方言艺术的独到魅力，聆听他们对人生的独到感悟，更理解了“唯有热爱，可抵岁月漫长”之言。尤其感谢缪燕飞老师，八旬高龄的她至今仍积极参与广州地区的粤语讲古活动，多次接受项目组长时间的访谈，同时很热情地帮我们联系其他老师进行访谈。有赖于她的帮助，我们的访谈进展十分顺利。感谢南方科技大学人文社会科学学院周永明教授和王晓葵教授，华南师范大学历史系韩益民老师，广东省档案馆钟鸣主任、张凌主任提出的专业意见。感谢中山大学中国非物质文化遗产研究中心刘晓春教授、广州大学人文学院王元林教授大力推介我们的访谈计划；感谢林兆明先生女儿林文端老师对此项目的支持，此次遗憾无缘对林兆明先生进行访谈，但很庆幸得到了林文端老师的大力支持，她一直不遗余力地推广粤语艺术，从她身上，我们看到了让人敬佩的林兆明先生的风范。特别感谢广州出版社的大力支持。感谢叶春生、罗学光、李丽娜、曾应枫、陈波、叶曙明、龚伯洪、黄佳明、陈果、郑颖、曾金雄、张小颖、邱劲锋、张春风、邓庆新、罗冰等师友一直以来的帮助。最后，感谢项目组小伙伴们的同心协力。我和储老师前后组织了三批次的小伙伴，他们有的刚参加工作，有的还在大学读书，他们都是朝气蓬勃的青年人，对传承和保护中国传统文化艺术有着真诚的使命感和责任感，在此再次感谢他们。

谨以此书献给所有评书艺术工作者和听众。

陈周起

2021年11月